Supplément
au Voyage de Bougainville

ÉTONNANTS · CLASSIQUES

DIDEROT

Supplément au Voyage de Bougainville

Présentation, notes, chronologie et dossier par
DOMINIQUE LANNI,
professeur de lettres

GF Flammarion

**Le siècle des Lumières
dans la même collection**

© Éditions Flammarion, 2003.
Édition revue, 2006.
ISBN : 978-2-0807-2300-0
ISSN : 1269-8822

SOMMAIRE

Supplément au Voyage de Bougainville

Un écrivain prolifique

En mai 1771, le navigateur Louis Antoine de Bougainville [1] fait paraître son *Voyage autour du monde*. Les lecteurs découvrent alors avec stupéfaction les mœurs simples et la liberté sexuelle des habitants de Tahiti. Dans une société où la morale et les règles en matière de sexualité impliquent la retenue, la discrétion et l'austérité, ce monde exotique, qui offre l'image d'une société heureuse, fait rêver.

Au cours de l'été, lorsqu'il lit la relation de Bougainville et s'apprête à en rédiger le compte rendu, Denis Diderot, âgé de cinquante-huit ans, est un auteur reconnu. L'*Encyclopédie*, dont il a été le grand artisan, commencée vingt ans plus tôt, est presque achevée et, dans l'intervalle, il a publié de nombreux textes, notamment l'*Essai sur le Mérite et la Vertu*, les *Pensées philoso-phiques*, les *Mémoires sur différents sujets de mathématiques*, la *Lettre sur les aveugles*, la *Lettre sur les sourds et muets*, la *Lettre historique et politique sur le commerce de la librairie*, l'*Éloge de Richardson*, *Le Fils naturel* ou encore *Le Père de famille*.

En 1770 et jusqu'au début de l'année 1771, alors que les batailles livrées pour mener à son terme la publication de l'*Encyclopédie* sont derrière lui, Diderot, en vagabond malicieux et en polygraphe inspiré, continue de passer incontinent d'un genre à l'autre. Nombreux sont les dialogues, entretiens, paradoxes,

---

1. Voir encadré p. 29.

contes, essais, traités et lettres qu'il compose, sans les faire systématiquement paraître, se contentant souvent de les lire dans des cercles littéraires ou de les donner à lire à ses proches sous la forme de copies manuscrites. Il rédige ainsi plusieurs contes – *Les Deux Amis de Bourbonne*, *Ceci n'est pas un conte*, *Madame de La Carlière* – et un dialogue – l'*Entretien d'un père avec ses enfants*.

Ces textes ont en commun, outre d'avoir été écrits à la même époque, de poser, mais de manière différente, le problème de l'obéissance aux lois. Doit-on suivre les lois lorsqu'elles sont injustes ? Peut-on impunément les transgresser ? Faut-il renouer avec l'état de nature ? Diderot continue de s'intéresser à ces questions lorsqu'il lit et annote le *Voyage autour du monde* de Bougainville et en rédige le compte rendu pour la *Correspondance littéraire*, un bulletin bimensuel dirigé par son ami Friedrich Melchior Grimm[1], auquel sont abonnés quelques grands d'Europe.

Du compte rendu au *Supplément*

En 1771, le texte que Diderot consacre au *Voyage autour du monde* ne s'intitule pas encore *Supplément au Voyage de Bougainville*. C'est un compte rendu divisé en deux parties. La première est très classique : elle présente les défauts et qualités de l'ouvrage. La seconde revient sur l'escale tahitienne du navigateur, le prend à partie et condamne les exactions dont lui et

---

1. *Friedrich Melchior Grimm* : écrivain et critique allemand (1723-1807).

ses hommes se sont rendus coupables sur l'île, leur reprochant d'avoir tenté d'introduire la notion de propriété parmi les insulaires, dressé les femmes les unes contre les autres, essayé de réduire les hommes en esclavage et répandu la mort parmi les Tahitiens. Porté par son enthousiasme, Diderot achève rapidement son texte et le soumet à Grimm. Celui-ci refuse de l'insérer dans son bulletin.

Diderot toutefois ne renonce pas à la publication de son texte ; il décide de donner un supplément au récit de Bougainville et remanie son compte rendu dans ce sens au cours de l'année 1772. Le supplément n'est pas un genre à proprement parler : c'est un texte qui est étroitement lié à un autre, lequel lui sert de support, et qui véhicule des jugements neufs sur les réflexions amorcées ou développées par ce dernier.

Ainsi, Diderot récrit son texte, lui donne la forme d'un dialogue mettant en scène deux hommes, A et B, qui sont occupés à bavarder au sujet de Bougainville et de son *Voyage autour du monde* et qui en viennent à lire et à commenter le discours virulent qu'un vieux Tahitien aurait tenu au navigateur avant son départ. Diderot présente ce discours comme un épisode que Bougainville n'aurait pas inséré dans son récit. Il s'agit, revue et augmentée, de la violente dénonciation à laquelle le philosophe s'était initialement livré dans son compte rendu. C'est ce premier *Supplément au Voyage de Bougainville* qu'il fait circuler parmi ses proches fin 1772.

En avril et mai 1773, Diderot publie successivement, dans la *Correspondance littéraire*, *Ceci n'est pas un conte* et *Madame de La Carlière*. Grimm présente ces textes comme les deux premiers volets d'un triptyque dont l'unité et le sens n'apparaîtront qu'une fois le dernier volet livré. Dans l'avertissement qui précède le premier conte, il écrit en effet : « Le conte que l'on va lire est de M. Diderot, il sera suivi de plusieurs autres du même auteur. On ne verra qu'à la fin du dernier la morale et le but secret que l'auteur s'est proposé. » La première version du *Supplément au Voyage de Bougainville* – dernier volet – paraît dans les livraisons de septembre et octobre 1773 et dans celles de mars et avril 1774. Mais, contrairement à ce qui a été annoncé dans l'avertissement de *Ceci n'est pas un conte*, la morale et le but poursuivis par Diderot dans son triptyque sont loin d'y apparaître évidents.

Dans les années 1778-1779, Diderot remanie à nouveau considérablement son texte. Il l'augmente d'un entretien entre un aumônier et un Tahitien, et d'un ultime dialogue entre A et B. Idéalisant l'escale tahitienne, il livre une description utopique de la vie des insulaires : il s'attache tout particulièrement à mettre en évidence leur bonté naturelle, la simplicité de leur existence et l'extrême liberté de leurs mœurs sexuelles, passant sous silence les travers de cette société, notamment les superstitions et les sacrifices humains.

Le « supplément » – les éléments que Bougainville n'aurait pas insérés dans son *Voyage autour du monde* – revêt finalement la forme d'une harangue (« Les adieux du vieillard ») et d'un dialogue (« L'entretien de l'aumônier et d'Orou » que continue la « Suite de l'entretien de l'aumônier avec l'habitant de Tahiti »), agrémentés d'histoires (celles de la jeune Jeanne Barré et de Polly Baker). Il est enchâssé dans le dialogue mettant aux prises A et B, qui s'ouvre avec le « Jugement du *Voyage* de Bougainville », et se clôt avec la « Suite du dialogue entre A et B ». La totalité compose l'état « définitif » du *Supplément au Voyage de Bougainville*.

Ne pouvant se résoudre à le publier, le philosophe le fait circuler parmi ses amis sous forme de copies retouchées de sa main. D'une copie à l'autre, un mot, une phrase, un paragraphe sont revus et corrigés, tandis que la ponctuation, à laquelle il accorde une grande attention parce qu'elle livre de précieuses indications sur la manière dont son dialogue doit être lu, subit dans toutes ses copies de profondes modifications. « Ah ! mon amie, a-t-il écrit un jour à Sophie

Volland [1], quelle différence entre lire l'histoire et entendre l'homme. Les choses intéressent bien autrement.» La version finale du *Supplément au Voyage de Bougainville* ne paraîtra pas du vivant de Diderot. En 1796, la publication du *Supplément* par l'abbé Bourlet de Vauxcelles dans un volume d'*Opuscules philosophiques* ne comporte pas encore l'histoire de Polly Baker.

L'étonnante structure du *Supplément* résulte donc de sa genèse échelonnée dans le temps ; elle est également révélatrice de la passion que Diderot nourrit pour l'échange sous toutes ses formes et, tout particulièrement, sous celle du dialogue.

La passion du dialogue

Intarissable bavard, Diderot a fasciné ou agacé ses proches par sa déconcertante aisance à passer en permanence du coq à l'âne au cours d'une même conversation. Son œuvre est à son image. Chaque fois que Diderot a voulu se départir de sa spontanéité et de son exubérance, il a échoué. Son théâtre en est la preuve. Aussi a-t-il essayé, sa vie durant, de trouver une écriture qui suive le mouvement de sa pensée. Son itinéraire s'apparente à une quête sans cesse recommencée : celle de la concordance d'une pensée et de son expression. De là vient sa prédilection pour le dialogue.

Si Diderot affectionne particulièrement la forme du dialogue ou celle de l'entretien, c'est que, à l'instar de celles de la lettre, de la pensée, de la promenade ou du paradoxe [2], elles lui permettent de

---

1. *Sophie Volland* : principale correspondante de Diderot (1717-1784). Elle inspira une passion durable au philosophe. Les lettres qu'il lui écrivait sont riches en remarques sur ses travaux littéraires.
2. La *pensée* est une réflexion brève qui permet d'enchaîner les idées, de les confronter, d'en pointer les limites, sur le ton de la polémique. La *promenade* .../...

présenter les linéaments d'une pensée. Et, si le dialogue est la forme qui correspond le mieux à son tempérament, c'est qu'il lui offre l'opportunité de multiplier les discours, de les questionner, de sonder leurs mécanismes, d'éprouver leurs limites, d'épuiser leurs ressources par l'intermédiaire du discours même.

Diderot ne prétend pas détenir la vérité : d'un texte à l'autre et au sein d'un même texte, sa pensée évolue. À travers le dialogue, ce sont les mouvements de cette pensée qu'il cherche à traduire. Comme l'a indiqué Jacques Scherer, « ses interlocuteurs ne sont deux qu'en apparence [3] ». Plus que des personnages, ce sont donc des idées que Diderot fait dialoguer : A, B, Orou, l'aumônier, le vieillard ne sont que des porte-parole. Diderot n'est aucun d'eux dans l'absolu, pas plus A que B, pas plus Orou que l'aumônier, le vieillard ou le narrateur. Le *Supplément au Voyage de Bougainville* n'est pas un traité : en donnant à entendre plusieurs voix, il donne aussi à écouter plusieurs discours.

Une œuvre polyphonique

Diderot ne juxtapose pas les discours, il les confronte. En procédant de cette manière, il invite son lecteur à réfléchir sur la nature humaine, sur la relativité des valeurs qui régissent une société et surtout sur le fondement des lois.

.../... présente des réflexions qui mènent à la connaissance d'une vérité, même insatisfaisante. Le *paradoxe* fait se succéder des idées qui, bien que contraires à l'opinion commune (la *doxa*), n'en comportent pas moins une part de vérité.
3. Jacques Scherer, *Le Cardinal et l'orang-outang. Essai sur les inversions et les distances dans la pensée de Diderot*, SEDES, 1972.

Œuvre ambiguë, le *Supplément au Voyage de Bougainville* ne saurait en effet être réduit à une célébration inconditionnelle du bonheur du sauvage, à une défense acharnée des principes d'une morale naturelle ou à un hymne à la liberté sexuelle des Tahitiens, pas plus qu'elle ne l'est à un discours anticlérical [1] ou à une dénonciation violente du colonialisme. La société tahitienne n'est pas dépourvue de contraintes : ses valeurs sont simplement différentes de celles des Européens. Le *Supplément* ne fait pas l'apologie du bon sauvage. Comme les valeurs européennes, largement remises en cause par les différents discours, celles des Tahitiens ont leurs limites, qui se font jour dans la bouche du vieillard et dans celle d'Orou.

Diderot, confrontant les discours, s'interroge aussi, et peut-être plus fondamentalement, sur l'origine et les effets des lois sur lesquelles repose toute société : ce qui est pointé du doigt, ce ne sont pas les lois en elles-mêmes, mais leur inaptitude à assurer le bonheur de tous. Si l'histoire de Polly Baker met en évidence les disproportions qu'il y a en Europe entre les actions jugées fautives et les châtiments par lesquels ont les punit, le discours d'Orou ne présente pas pour autant une société tahitienne sans ordre ni discipline.

Ainsi, de la polyphonie à l'œuvre dans ce texte procèdent sa richesse et sa complexité.

---

1. Tonsuré à l'âge de treize ans et destiné à succéder à son oncle, chanoine à Langres, Diderot, au fil des années, a évolué vers l'athéisme. Dans le *Supplément*, il ne ménage pas ses critiques à l'égard des religieux, qu'il s'agisse des missionnaires jésuites, de l'aumônier ou des moines : les premiers sont qualifiés de « cruels Spartiates en jaquette noire », le deuxième est tourné en ridicule par l'intermédiaire d'Orou, et les troisièmes, parce qu'ils « refusent » de procréer, sont taxés de paresseux et jugés inutiles par le même Tahitien !

L'originalité du *Supplément*

Concert de voix, lacis de paroles, emboîtement de discours, le *Supplément au Voyage de Bougainville* est une œuvre atypique dans laquelle le philosophe expose des idées non dénuées d'audace tout en exploitant les possibilités que lui offre le dialogue en termes de créativité et d'inventivité formelle. L'originalité de la composition, la multiplication des locuteurs, la hardiesse des réflexions, la liberté de ton sont autant d'éléments qui relèvent d'une volonté – patente chez Diderot – de déconcerter le lecteur et de renouveler la forme de ce genre trop convenu qu'est alors le dialogue.

Avant d'être reconnu comme un texte important de la pensée des Lumières, le *Supplément au Voyage de Bougainville* a longtemps été tenu pour une œuvre mineure. Nombreux sont les observateurs qui en ont pointé les carences et souligné la disparate et la complexité. Et nombreux aussi sont ceux qui ont essayé de percer le secret de son unité. Or, comme l'a remarqué Jacques Chouillet, « on aime à croire qu'une unité secrète se cache derrière les apparences contraires, mais il est certain qu'elle résiste aux approximations faciles ou aux formulations ambitieuses. Se hâter de la constituer en système serait aller précisément à l'inverse du but poursuivi qui est de ne rien perdre des mouvements incessants du discours [1] ».

Utopie ? Leçon de morale ? Fable politique ? Pamphlet anti-clérical ? Apologie systématique du bon sauvage ? Dialogue sur l'insoluble incommunicabilité entre les sociétés ? La quête de l'unité du *Supplément* a déchaîné les passions. De là viennent les jugements contradictoires, querelles et vives polémiques que les multiples questionnements qu'il a suscités n'ont pas manqué d'engendrer au fil des années. Mais l'originalité du *Supplément*

---

1. Jacques Chouillet, *La Formation des idées esthétiques de Diderot, 1745-1763*, Armand Colin, 1973.

réside sans doute moins dans la sage thèse réformiste qui y est *in fine* énoncée que dans la manière, tout à la fois séduisante et déconcertante, dont le philosophe use de la forme du dialogue et dont il explore les ressources de l'écriture dialogique pour mettre en scène les oscillations de sa pensée.

Une morale bien sage

Diderot se garde bien de dire ce qu'il faut penser ou ne pas penser, dire ou ne pas dire, faire ou ne pas faire. Il propose en revanche, nous l'avons vu, une réflexion sur les fondements des lois. Dénonçant une société corrompue dans laquelle les lois n'ont plus de sens, certains ont vu dans le mode de vie tahitien un modèle et ont rêvé de renouer avec l'état de nature. Diderot, qui pressent bien que ce retour est impossible, n'est pas de ceux-là : l'Européen vit dans un monde où règne le superflu ; habitué à un confort auquel il est incapable de renoncer, il peut envisager ce retour mais non pas l'accomplir. Si Diderot condamne le « faux » ordre de la société européenne, il n'appelle pas à la révolution – même mauvaises, les lois doivent être respectées au risque de mettre la société en péril – mais à la réforme.

B. – Nous parlerons contre les lois insensées jusqu'à ce qu'on les réforme ; et, en attendant, nous nous y soumettrons. Celui qui de son autorité privée enfreint une loi mauvaise, autorise tout autre à enfreindre les bonnes. Il y a moins d'inconvénients à être fou avec des fous, qu'à être sage tout seul. (p. 102)

C'est dans cette thèse réformiste que réside la véritable morale du *Supplément*.

CHRONOLOGIE

1713 1784
1713 1784

■ Repères historiques et culturels

■ Vie et œuvre de l'auteur

Repères historiques et culturels

1715	Mort de Louis XIV. Régence de Philippe d'Orléans.
1717	Emprisonnement à la Bastille de Voltaire, auteur de vers satiriques contre le régent.
1721	Montesquieu, *Lettres persanes*.
1723	Mort de Philippe d'Orléans. Début du règne personnel de Louis XV.
1732	Marivaux, *Le Triomphe de l'amour*, *L'École des mères*, *Les Serments indiscrets*. Voltaire, *Zaïre*. Naissance de Beaumarchais.
1748	Montesquieu, *De l'esprit des lois*.
1749	Buffon, *Histoire naturelle* (t. I à III).
1750	Maupertuis, *Essai de cosmologie*. Rousseau, *Discours sur les sciences et les arts*.
1751	Voltaire, *Le Siècle de Louis XIV*, *Micromégas*.

Vie et œuvre de l'auteur

1713   Naissance le 5 octobre, à Langres, de Denis Diderot, fils d'un maître coutelier.

1723-1728   Diderot est élève au collège des jésuites de Langres. Destiné par sa famille à l'état ecclésiastique, il est tonsuré en 1726 mais ne peut hériter du canonicat [1] de son oncle.

1728   Il poursuit ses études à Paris, au collège d'Harcourt.

1732-1740   En 1732, il est reçu maître ès art de l'université de Paris. Il commence une carrière juridique mais y renonce, mène une vie de bohème, fréquentant les théâtres et vivant d'expédients divers.

1742   Il se lie d'amitié avec Jean-Jacques Rousseau.

1743   Il épouse, contre l'avis de son père, une jeune lingère, Antoinette Champion.

1746   Sous l'anonymat, il fait paraître ses *Pensées philosophiques*, qui sont condamnées au feu par le Parlement de Paris.

1747   Il se voit confier, avec d'Alembert, la direction de l'*Encyclopédie*. C'est le début d'une aventure qui durera près de vingt ans.

1749   De juillet à novembre, il est emprisonné au donjon de Vincennes à la suite de la publication de sa *Lettre sur les aveugles à l'usage de ceux qui voient*.

1751   Diderot publie sa *Lettre sur les sourds et muets* et le premier volume de l'*Encyclopédie*.

---

1. *Canonicat* : dignité de chanoine.

Repères historiques et culturels

1753	Buffon, *Histoire naturelle* (t. IV).
1754	Naissance du futur Louis XVI.
1755	Tremblement de terre de Lisbonne. Rousseau, *Discours sur l'origine et les fondements de l'inégalité parmi les hommes*. Mort de Montesquieu et de Saint-Simon.
1756	Début de la guerre de Sept Ans. Voltaire, *Poème sur le désastre de Lisbonne*, *Essai sur les mœurs*.
1758	Rousseau, *Lettre à d'Alembert sur les spectacles*.
1759	Voltaire, *Candide*.
1761	Rousseau, *La Nouvelle Héloïse*.
1762	Début du règne de Catherine II de Russie. Rousseau, *Du contrat social*, *Émile*.

Vie et œuvre de l'auteur

1752
Le deuxième volume de l'*Encyclopédie* paraît. Le Conseil d'État du roi ordonne la suppression de l'ouvrage, jugé dangereux pour les mœurs, la religion et le gouvernement. Brouille avec Rousseau.

1753
Antoinette donne naissance à Marie Angélique. Annulation de l'interdiction de l'*Encyclopédie*. De 1753 à 1757 paraîtront ainsi cinq volumes, au rythme d'un par an.

1755
Début de la correspondance de Diderot avec Sophie Volland.

1757
Il fait paraître *Le Fils naturel* et les *Entretiens sur Le Fils naturel*, et collabore au bulletin de son ami Friedrich Melchior Grimm, la *Correspondance littéraire*. L'article « Genève » de l'*Encyclopédie* suscite les protestations du parti dévot français et provoque la brouille définitive de Diderot avec Rousseau.

1758
Diderot publie *Le Père de famille* et le *Discours sur la poésie dramatique*.

1759
L'*Encyclopédie* est jugée subversive par le Parlement. Le roi révoque les privilèges pour son impression et ordonne la destruction par le feu des sept premiers volumes. Diderot s'exerce à la critique d'art en écrivant, à l'occasion de l'exposition de l'Académie royale de peinture et de sculpture, son premier *Salon* pour la *Correspondance littéraire*.

1760-1761
Il entreprend la rédaction de *La Religieuse*. On commence à jouer ses drames, notamment *Le Père de famille*, avec beaucoup de succès.

1762
Diderot écrit *Le Neveu de Rameau*.

Repères historiques et culturels

1763	Fin de la guerre de Sept Ans (traité de Paris).
	Voltaire, *Traité sur la tolérance*.
	Mort de Marivaux et de l'abbé Prévost.
1764	Expulsion des jésuites de France.
	Voltaire, *Dictionnaire philosophique*.
1766-1769	Bougainville effectue son tour du monde.
1771	Bougainville, *Voyage autour du monde*.
1774	Mort de Louis XV. Début du règne de Louis XVI.
1775	Beaumarchais, *Le Barbier de Séville*.
1778	Mort de Voltaire et de Rousseau.

Vie et œuvre de l'auteur

1765	L'impératrice Catherine II de Russie achète à Diderot sa bibliothèque. Celui-ci entreprend la rédaction de *Jacques le Fataliste et son maître*.
1766	Les dix derniers volumes de l'*Encyclopédie* (t. VIII à XVII) sont imprimés secrètement, sans privilège.
1770	Il compose *Les Deux Amis de Bourbonne*, le *Voyage à Bourbonne et à Langres* et l'*Entretien d'un père avec ses enfants*.
1771	Il écrit un compte rendu du *Voyage autour du monde* de Bougainville.
1772	Il rédige *Ceci n'est pas un conte*, *Madame de La Carlière*, travaille au *Supplément au Voyage de Bougainville* et collabore à l'*Histoire des deux Indes* de l'abbé Raynal.
1773	Diderot se rend à Saint-Pétersbourg. Il révise *Le Neveu de Rameau* et rédige le *Paradoxe sur le comédien*. Il commence à faire paraître *Jacques le Fataliste et son maître* dans la *Correspondance littéraire*, révise le *Paradoxe sur le comédien* et *La Religieuse*, et collabore à la troisième édition de l'*Histoire des deux Indes* de l'abbé Raynal.
1784	Mort de Sophie Volland le 22 février. Diderot, inconsolable, meurt le 31 juillet. Nombreux sont les textes qu'il n'a pas publiés de son vivant. Ainsi paraîtront à titre posthume : en 1796, *Opuscules philosophiques*, *La Religieuse*, *Essais sur la peinture* ; en 1830, *La Promenade du sceptique*, *Paradoxe sur le comédien* et *Le Rêve de d'Alembert*.

Note sur l'établissement du texte : le texte de la présente édition est établi à partir de celle d'Antoine Adam (GF-Flammarion, 1972). Ce dernier a lui-même retenu les leçons données par Viktor Johansson (universitaire suédois) à la suite de la consultation du manuscrit retrouvé dans le fonds de la bibliothèque publique de l'État à Leningrad (aujourd'hui Saint-Pétersbourg). À la différence des éditions antérieures, qui regroupaient « L'entretien de l'aumônier et d'Orou » et la « Suite de l'entretien de l'aumônier avec l'habitant de Tahiti » et, par conséquent, comportaient quatre chapitres, cette version du texte en compte cinq. Elle est enrichie de l'histoire de Polly Baker.

Supplément au Voyage de Bougainville

ou

Dialogue entre A et B sur l'inconvénient
d'attacher des idées morales
à certaines actions physiques
qui n'en comportent pas

At quanto meliora monet, pugnantiaque istis,
Dives opis Natura suae, tu si modo recte
Dispensare velis, ac non fugienda petendis
Immiscere ! Tuo vitio rerumne labores,
Nil referre putas ?

Horat., *Sat.*, lib. I, sat. II, v. 73 *sq.* [1].

1

Jugement du *Voyage*
de Bougainville

> dialogue entre A et B (deux sont français)

A. – Cette superbe voûte étoilée [2], sous laquelle nous revînmes
hier, et qui semblait nous garantir un beau jour, ne nous a
pas tenu parole.

B. – Qu'en savez-vous ?

5 A. – Le brouillard est si épais qu'il nous dérobe la vue des arbres
voisins.

---

1. « Ah ! combien la nature, riche de ses propres dons, nous donne des
conseils meilleurs et tout différents, pour peu que nous réglions notre vie et
ne mêlions pas le mal et le bien. Crois-tu que ce soit une même chose de
souffrir par sa propre faute ou par celle des circonstances ? » Horace, *Satires*,
livre I, satire 2, vers 73 et suivants (Horace, *Œuvres*, trad. François Richard,
GF-Flammarion, 1967).
2. *Voûte étoilée* : métaphore désignant le ciel.

B. – Il est vrai ; mais si ce brouillard, qui ne reste dans la partie inférieure de l'atmosphère que parce qu'elle est suffisamment chargée d'humidité, retombe sur la terre ?

10 A. – Mais si au contraire il traverse l'éponge[1], s'élève et gagne la région supérieure où l'air est moins dense, et peut, comme disent les chimistes, n'être pas saturé ?

B. – Il faut attendre.

A. – En attendant, que faites-vous ?

15 B. – Je lis.

A. – Toujours ce *Voyage* de Bougainville[2] ?

B. – Toujours.

A. – Je n'entends rien[3] à cet homme-là. L'étude des mathématiques, qui suppose une vie sédentaire[4], a rempli le temps
20 de ses jeunes années ; et voilà qu'il passe subitement d'une condition méditative et retirée au métier actif, pénible, errant et dissipé de voyageur[5].

B. – Nullement. Si le vaisseau n'est qu'une maison flottante, et si vous considérez le navigateur qui traverse des espaces immenses,
25 resserré et immobile dans une enceinte assez étroite,

---

1. *L'éponge* : métaphore désignant la partie de l'atmosphère terrestre qui est le siège des nuages, de la pluie et de la neige, et qui, par conséquent, est gorgée d'eau à la manière d'une éponge.

2. *Ce Voyage de Bougainville* : il s'agit du *Voyage autour du monde* de Louis Antoine de Bougainville ; voir présentation, p. 5.

3. *Je n'entends rien* : je ne comprends rien.

4. *Une vie sédentaire* : une vie qui se passe dans un même lieu, peu mouvementée, par opposition à une vie « errant[e] » et « dissipé[e] » (« sédentaire » vient du latin *sedentarius*, « à quoi on travaille assis », dérivé du verbe *sedere*, « être assis »).

5. *Voyageur* : « Qui fait des voyages par pure curiosité, et qui en fait des relations » (dictionnaire Furetière, 1690).

vous le verrez faisant le tour du globe sur une planche, comme vous et moi le tour de l'univers sur notre parquet.

A. – Une autre bizarrerie apparente, c'est la contradiction du caractère de l'homme et de son entreprise. Bougainville a le goût des amusements de la société ; il aime les femmes, les spectacles, les repas délicats ; il se prête au tourbillon du monde d'aussi bonne grâce qu'aux inconstances de l'élément[1] sur lequel il a été ballotté. Il est aimable et gai : c'est un véritable Français lesté, d'un bord, d'un *Traité de calcul différentiel et intégral*[2], et de l'autre, d'un voyage autour du globe.

B. – Il fait comme tout le monde : il se dissipe après s'être appliqué, et s'applique après s'être dissipé.

A. – Que pensez-vous de son *Voyage* ?

B. – Autant que j'en puis juger sur une lecture assez superficielle, j'en rapporterais l'avantage à trois points principaux : une meilleure connaissance de notre vieux domicile[3] et de ses habitants ; plus de sûreté sur des mers qu'il a parcourues la sonde[4] à la main, et plus de correction[5] dans nos cartes géographiques. Bougainville est parti avec les lumières[6] nécessaires et les qualités propres à ses vues[7] : de la philosophie, du courage, de la véracité[8] ; un coup d'œil prompt qui saisit les choses et

---

1. *L'élément* : l'océan.

2. Allusion à un ouvrage scientifique paru de 1754 à 1756 et intitulé *Traité de calcul intégral pour servir de suite à l'analyse des infiniment petits*.

3. *Notre vieux domicile* : métaphore désignant la Terre.

4. *Sonde* : instrument qui sert à mesurer la profondeur de l'eau et à connaître la nature du fond.

5. *Plus de correction* : plus d'exactitude.

6. *Lumières* : connaissances.

7. *Ses vues* : ses projets.

8. *Véracité* : attachement à la vérité.

■ Le comte Louis Antoine de Bougainville (1729-1811). Gravure de Boilly.

Louis Antoine de Bougainville

Louis Antoine de Bougainville (1729-1811), après des études scientifiques et littéraires, devient officier dans l'armée de terre – il prend la défense du Canada français lors de la guerre de Sept Ans –, puis s'engage dans la marine où il est nommé capitaine de vaisseau, en 1763. Il est alors chargé de fonder une colonie française dans les îles Malouines (voir carte p. 31).

En 1764, l'Espagne revendique ce territoire insulaire à titre de dépendance naturelle de ses possessions sud-américaines et Louis XV, qui reconnaît ce droit, en confie la restitution à Bougainville. Ce dernier doit également rechercher un comptoir près de la côte de Chine et prendre possession des terres inconnues du Pacifique. C'est ainsi que, entre 1766 et 1769, Bougainville effectue le premier tour du monde français (voir l'itinéraire emprunté, p. 31).

Il poursuit ensuite sa carrière maritime et prend part à la guerre d'indépendance américaine. Arrêté pendant la Terreur, le comte Louis Antoine de Bougainville est libéré à la chute de Robespierre. Napoléon Ier le comble d'honneurs : il le fait grand officier de la Légion d'honneur (1804) puis comte d'Empire (1808). La dernière fonction officielle qu'il occupe est la présidence du Conseil de guerre qui juge les responsables de la défaite de Trafalgar. ■

abrège le temps des observations ; de la circonspection[1], de la patience ; le désir de voir, de s'éclairer et d'instruire ; la science du calcul, des mécaniques, de la géométrie, de l'astronomie ; et une teinture[2] suffisante d'histoire naturelle.

A. – Et son style ?

B. – Sans apprêt[3] ; le ton de la chose[4], de la simplicité et de la clarté, surtout quand on possède la langue des marins.

A. – Sa course[5] a été longue ?

55 B. – Je l'ai tracée sur ce globe[6]. Voyez-vous cette ligne de points rouges ?

A. – Qui part de Nantes ?

B. – Et court jusqu'au détroit de Magellan[7], entre dans la mer Pacifique, serpente entre ces îles qui forment l'archipel immense qui s'étend des Philippines à la Nouvelle-Hollande[8], rase Madagascar, le cap de Bonne-Espérance, se prolonge dans l'Atlantique, suit les côtes d'Afrique, et rejoint l'une de ses extrémités à celle d'où le navigateur s'est embarqué.

A. – Il a beaucoup souffert ?

65 B. – Tout navigateur s'expose, et consent de s'exposer aux périls de l'air, du feu, de la terre et de l'eau : mais qu'après avoir erré

---

1. *Circonspection* : retenue, prudence.

2. *Une teinture* : une connaissance superficielle.

3. *Sans apprêt* : sans élégance, simple.

4. *Le ton de la chose* : le ton exigé par la chose, c'est-à-dire par le sujet, par le genre auquel on s'essaie.

5. *Course* : route.

6. Voir carte ci-contre.

7. *Détroit de Magellan* : détroit découvert par Magellan (v. 1480-1521) en 1520, reliant l'océan Atlantique à l'océan Pacifique.

8. *Nouvelle-Hollande* : à l'époque de Diderot, on désignait ainsi l'Australie.

■ Le tour du monde de Bougainville (1766-1769).

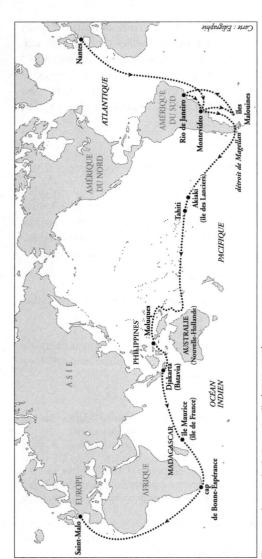

Carte : Édigraphie

Bougainville quitte Nantes en décembre 1766 à bord du navire la *Boudeuse*. Il remet officiellement la colonie des îles Malouines (voir p. 29) au gouvernement espagnol en avril 1767. La flûte l'*Étoile*, chargée d'apporter les vivres nécessaires à l'équipage et de le suivre pendant le reste de l'expédition, le rejoint à Rio de Janeiro. Les deux bateaux traversent ensemble le détroit de Magellan et, en avril 1768, atteignent Tahiti. Le navigateur succombe alors aux richesses de l'île et observe minutieusement les us et coutumes des habitants, qu'il juge parfaitement étrangers à toute corruption. Son tour du monde s'achève à Saint-Malo, en mars 1769, où il reçoit un accueil triomphal.

des mois entiers entre la mer et le ciel, entre la mort et la vie ; après avoir été battu[1] des tempêtes, menacé de périr par naufrage, par maladie, par disette d'eau et de pain, un infortuné[2] vienne, son bâtiment fracassé, tomber, expirant de fatigue et de misère, aux pieds d'un monstre d'airain[3] qui lui refuse ou lui fait attendre impitoyablement les secours les plus urgents, c'est une dureté !...

75 A. – Un crime digne de châtiment.

B. – Une de ces calamités sur lesquelles le voyageur n'a pas compté.

A. – Et n'a pas dû compter[4]. Je croyais que les puissances européennes n'envoyaient, pour commandants dans leurs possessions d'outre-mer, que des âmes honnêtes, des hommes bienfaisants, des sujets remplis d'humanité, et capables de compatir...

B. – C'est bien là ce qui les soucie !

A. – Il y a des choses singulières[5] dans ce voyage de Bougainville.

B. – Beaucoup.

85 A. – N'assure-t-il pas que les animaux sauvages s'approchent de l'homme, et que les oiseaux viennent se poser sur lui, lorsqu'ils ignorent le péril de cette familiarité ?

---

1. Battu : ballotté par.

2. Infortuné : malheureux, malchanceux ; le mot désigne ici Bougainville, qui a dû affronter de nombreuses épreuves lors de son tour du monde.

3. Monstre d'airain : cette métaphore désigne le vice-roi du Brésil, le comte d'Acunha, un Portugais. Le Portugal était alors en guerre contre l'Espagne – les deux pays se disputaient certains territoires d'Amérique du Sud. La France était l'alliée du second : cette entente explique les difficultés faites par le comte d'Acunha au navigateur en détresse (voir Bougainville, *Voyage autour du monde*, 1771, I, 5).

4. Le texte joue sur la polysémie du verbe « compter », qui peut signifier « envisager », « penser » (c'est le sens que B donne à ce mot), mais aussi « espérer » (c'est le sens que lui donne A).

5. Singulières : curieuses.

B. – D'autres l'avaient dit avant lui.

A. – Comment explique-t-il le séjour[1] de certains animaux dans
des îles séparées de tout continent par des intervalles de mer
effrayants[2] ? Qui est-ce qui a porté là le loup, le renard, le
chien, le cerf, le serpent ?

B. – Il n'explique rien ; il atteste le fait.

A. – Et vous, comment l'expliquez-vous ?

B. – Qui sait l'histoire primitive[3] de notre globe ? Combien
d'espaces de terre, maintenant isolés, étaient autrefois conti-
nus ? Le seul phénomène sur lequel on pourrait former
quelque conjecture[4], c'est la direction de la masse des eaux
qui les a séparés.

A. – Comment cela ?

B. – Par la forme générale des arrachements. Quelque jour nous
nous amuserons de cette recherche, si cela nous convient.
Pour ce moment, voyez-vous cette île qu'on appelle des
« Lanciers[5] » ? À l'inspection du lieu[6] qu'elle occupe sur le
globe, il n'est personne qui ne se demande qui est-ce qui a
placé là des hommes ? Quelle communication les liait autrefois avec le reste de leur espèce ? Que deviennent-ils en se
multipliant sur un espace qui n'a pas plus d'une lieue[7] de
diamètre ?

---

1. *Séjour* : présence.
2. *Effrayants* : impressionnants.
3. *L'histoire primitive* : l'histoire des origines.
4. *Conjecture* : hypothèse.
5. L'île des Lanciers, située dans l'océan Pacifique, fut ainsi appelée par
Bougainville ; on la nomme aujourd'hui Akiaki (voir carte, p. 31).
6. *À l'inspection du lieu* : en considérant le lieu.
7. *Lieue* : ancienne unité de mesure équivalant à environ 4 km.

110 A. – Ils s'exterminent et se mangent ; et de là peut-être une première époque très ancienne et très naturelle de l'anthropophagie[1], insulaire d'origine.

B. – Ou la multiplication y est limitée par quelque loi superstitieuse[2] ; l'enfant y est écrasé dans le sein[3] de sa mère foulée 115 sous les pieds d'une prêtresse[4].

A. – Ou l'homme égorgé expire sous le couteau d'un prêtre ; ou l'on a recours à la castration des mâles...

B. – À l'infibulation[5] des femelles ; et de là tant d'usages d'une cruauté nécessaire[6] et bizarre, dont la cause s'est perdue dans la 120 nuit des temps, et met les philosophes à la torture[7]. Une observation assez constante, c'est que les institutions surnaturelles et divines se fortifient et s'éternisent, en se transformant, à la longue, en lois civiles et nationales ; et que les institutions civiles et nationales se consacrent[8], et dégénèrent[9] en préceptes[10] sur- 125 naturels et divins.

A. – C'est une des palingénésies[11] les plus funestes.

rebirth

---

1. *L'anthropophagie* : « C'est l'acte ou l'habitude de manger de la chair humaine. Quelques auteurs font remonter l'origine de cette coutume barbare jusqu'au déluge : ils prétendent que les géants ont été les premiers anthropophages » (article « Anthropophagie » de l'*Encyclopédie*).
2. *Loi superstitieuse* : loi fondée sur la croyance en des présages.
3. *Le sein* : le ventre.
4. Montesquieu, dans *De l'esprit des lois* (XXII, 16), indiquait que cette pratique avait cours à Formose (aujourd'hui Taïwan).
5. *Infibulation* : mutilation du sexe féminin à l'aide d'une agrafe (fibule), visant à empêcher les relations sexuelles.
6. *Nécessaire* : inévitable.
7. *Met les philosophes à la torture* : cause un vif embarras aux philosophes.
8. *Se consacrent* : s'imposent comme.
9. *Dégénèrent en* : se changent en.
10. *Préceptes* : commandements.
11. *Palingénésies* : régénérations ; ici, retours aux anciennes mœurs.

B. – Un brin de plus qu'on ajoute au lien dont on nous serre.

A. – N'était-il pas au Paraguay au moment même de l'expulsion des jésuites [1] ?

130 B. – Oui.

A. – Qu'en dit-il ?

B. – Moins qu'il n'en pourrait dire ; mais assez pour nous apprendre que ces cruels Spartiates [2] en jaquette noire en usaient avec leurs esclaves Indiens, comme les Lacédé-
135 moniens [3] avec les Ilotes [4] ; les avaient condamnés à un travail assidu ; s'abreuvaient de leurs sueurs, ne leur avaient laissé aucun droit de propriété, les tenaient sous l'abrutissement de la superstition ; en exigeaient une vénération profonde ; mar-chaient au milieu d'eux, un fouet à la main, et en frappaient
140 indistinctement tout âge et tout sexe. Un siècle de plus, et leur expulsion devenait impossible, ou le motif d'une longue guerre entre ces moines et le souverain, dont ils avaient secoué peu à peu l'autorité.

---

1. *Jésuites* : membres de la Compagnie de Jésus, ordre religieux fondé en 1534 par Ignace de Loyola (v. 1491-1556) pour convertir les hérétiques et servir l'Église. En 1585, ils s'installèrent au Paraguay pour évangéliser les Indiens. Ils les réunirent en «réductions», sortes de petites communautés au sein desquelles ils disposaient des pouvoirs religieux et civils. L'existence de cet État dans l'État déplut aux colons espagnols, qui expulsèrent les jésuites en 1767.
2. *Ces cruels Spartiates* : les jésuites sont assimilés aux habitants de l'antique cité de Sparte – ou Lacédémone – (en Grèce, dans le Péloponnèse), qui étaient connus pour leur extrême dureté.
3. *Lacédémoniens* : Spartiates.
4. *Ilotes* : esclaves des Spartiates.

A. – Et ces Patagons [1], dont le docteur Maty [2] et l'académicien
145 La Condamine [3] ont fait tant de bruit ?

B. – Ce sont de bonnes gens qui viennent à vous, et qui vous
embrassent en criant «*Chaoua*»; forts, vigoureux, toutefois
n'excédant guère la hauteur de cinq pieds cinq à six pouces [4];
n'ayant d'énorme que leur corpulence, la grosseur de leur
150 tête, et l'épaisseur de leurs membres. Né avec le goût du
merveilleux qui exagère tout autour de lui, comment l'homme
laisserait-il une juste proportion aux objets, lorsqu'il a, pour
ainsi dire, à justifier le chemin qu'il a fait et la peine qu'il s'est
donnée pour les aller voir au loin ?

155 A. – Et des sauvages, qu'en pense-t-il ?

B. – C'est, à ce qu'il paraît, de la défense journalière contre les bêtes
féroces, qu'il tient le caractère cruel qu'on lui remarque quelquefois. Il est innocent et doux, partout où rien ne trouble son repos
et sa sécurité. Toute guerre naît d'une prétention commune à
160 la même propriété. L'homme civilisé a une prétention commune,
avec l'homme civilisé, à la possession d'un champ dont ils

---

1. **Patagons** : c'est ainsi que Magellan appela les Indiens qu'il vit près du
détroit qui porte son nom, en Terre de Feu (archipel au sud du Chili); ils
étaient de grande taille sans toutefois être gigantesques. C'est le navigateur
britannique John Byron (1723-1786) qui les décrivit comme mesurant plus de
2,50 m et donna naissance au mythe des géants Patagons.
2. **Maty** : secrétaire de la Société royale de Londres (1745-1787), il se rangea
très tôt du côté de Byron, estimant que la Terre de Feu était bien peuplée de
géants.
3. **La Condamine** : naturaliste français (1701-1774); il s'opposa à Maty.
Lors de l'expédition de Bougainville, il rencontra des Patagons. S'il reconnut
que ces hommes pouvaient atteindre 1,80 m, il indiqua que l'on ne trouvait
pas de géants parmi eux.
4. **Cinq pieds cinq à six pouces** : environ 1,65 m. Le pied et le pouce sont
des anciennes unités de mesure, le premier équivalant à environ 30 cm et le
second à 2,7 cm.

occupent les deux extrémités ; et ce champ devient un sujet de dispute entre eux.⌋

A. – Et le tigre a une prétention commune, avec l'homme sau-
165   vage, à la possession d'une forêt ; et c'est la première des prétentions, et la cause de la plus ancienne des guerres. Avez-vous vu le Tahitien que Bougainville avait pris sur son bord et transporté dans ce pays-ci ?

B. – Je l'ai vu ; il s'appelait Aotourou. À la première terre qu'il
170   aperçut, il la prit pour la patrie du voyageur ; soit qu'on lui en eût imposé[1] sur la longueur du voyage ; soit que, trompé natu-rellement par le peu de distance apparente des bords de la mer qu'il habitait à l'endroit où le ciel semble confiner[2] avec l'hori-zon, il ignorât la véritable étendue de la terre. L'usage com-
175   mun[3] des femmes était si bien établi dans son esprit, qu'il se jeta sur la première Européenne qui vint à sa rencontre, et qu'il se disposait très sérieusement à lui faire la politesse de Tahiti[4]. Il s'ennuyait parmi nous. L'alphabet tahitien n'ayant ni *b*, ni *c*, ni *d*, ni *f*, ni *g*, ni *q*, ni *x*, ni *y*, ni *z*, il ne put jamais apprendre à
180   parler notre langue, qui offrait à ses organes inflexibles[5] trop d'articulations étrangères et de sons nouveaux. Il ne cessait de soupirer après[6] son pays, et je n'en suis pas étonné. Le *Voyage* de Bougainville est le seul qui m'ait donné du goût pour une autre contrée que la mienne ; jusqu'à cette lecture, j'avais pensé
185   qu'on n'était nulle part aussi bien que chez soi ; résultat que je

---

1. *Qu'on lui en eût imposé* : qu'on l'ait abusé.
2. *Confiner avec* : se confondre avec.
3. *L'usage commun* : la propriété commune ; le partage.
4. *Politesse de Tahiti* : désigne un usage qui a cours à Tahiti et qui consiste, pour l'étranger, à honorer celui qui l'accueille en ayant des rapports charnels avec les personnes de sexe opposé que lui présente son hôte ; voir ci-après « L'entretien de l'aumônier et d'Orou », p. 53.
5. *Inflexibles* : que l'on ne peut fléchir, adapter.
6. *Soupirer après* : regretter vivement.

Aotourou

Aotourou est cet indigène qui, à l'arrivée de Bougainville et de ses hommes à Tahiti, manifeste le désir de les accompagner dans leur périple, qui les suit jusqu'en Europe et demeure onze mois à Paris. Sa présence dans la capitale suscite une vive curiosité ; sa langue et ses mœurs intriguent les habitués des salons qui se pressent pour le voir. Après ce séjour parisien, Aotourou est conduit à La Rochelle où il embarque pour l'île de France — l'actuelle île Maurice — en mars 1770. Bougainville y arme alors un navire pour permettre au Tahitien de retourner chez lui. Ce dernier quitte l'île de France en octobre 1771, mais, atteint de petite vérole, il meurt le lendemain de son arrivée à l'île Bourbon — actuelle île de la Réunion —, le 6 novembre de la même année, sans avoir revu les siens.

Au contact d'Aotourou, Bougainville est revenu sur sa perception de la douceur et de la liberté des mœurs tahitiennes : « J'ai dit plus haut, écrit-il, que les habitants de Tahiti nous avaient paru vivre dans un bonheur digne d'envie. Nous les avions cru presque égaux entre eux [...]. Je me trompais ; la distinction des rangs est fort marquée à Tahiti et la disproportion cruelle. »

Quant à la venue de l'indigène à Paris, si elle a intéressé les philosophes, elle a aussi inspiré nombre d'écrivains et d'artistes. Ainsi, avec *Le Sauvage de Taïti aux Français* (1770), Nicolas Bricaire de la Dixmerie publie la première fiction française sur Tahiti ; s'inspirant du Huron de La Hontan et des Persans de Montesquieu (voir dossier, p. 113), c'est par l'intermédiaire d'un personnage nommé « Aotourou » qu'il formule sa critique de la société parisienne. Dans les *Lettres taïtiennes* (1786), son roman épistolaire, Marie Joseph Montbard de Lescuen narre la dépravation d'un jeune Tahitien – qui ressemble étrangement à Aotourou – parmi les membres de l'aristocratie parisienne, puis son retour à la vie sauvage. Jean Coralli, lui, dans *Ozaï* (1847), un ballet en deux actes et six tableaux, met en scène le moment où Bougainville s'apprête à quitter Tahiti, ramenant avec lui à Paris un jeune indigène, Ozaï.

Aotourou, objet de toutes les attentions, ne fut cependant pas le seul Tahitien que l'on fit venir en Europe à l'époque de Diderot. Le navigateur britannique James Cook, en 1773, s'en retourna de sa deuxième expédition dans le Pacifique accompagné du Polynésien Omaï, lequel resta deux ans en Angleterre. ■

croyais le même pour chaque habitant de la terre ; effet naturel de l'attrait du sol ; attrait qui tient aux commodités[1] dont on jouit, et qu'on n'a pas la même certitude de retrouver ailleurs.

190 A. – Quoi ! vous ne trouvez pas l'habitant de Paris aussi convaincu qu'il croisse des épis dans la campagne de Rome que dans les champs de la Beauce ?

B. – Ma foi, non. Bougainville a renvoyé Aotourou, après avoir pourvu aux frais et à la sûreté de son retour.

195 A. – Ô Aotourou ! que tu seras content de revoir ton père, ta mère, tes frères, tes sœurs, tes maîtresses, tes compatriotes, que leur diras-tu de nous ?

B. – Peu de choses, et qu'ils ne croiront pas.

A. – Pourquoi peu de choses ?

---

1. Commodités : avantages.

200 B. – Parce qu'il en a peu conçues [1], et qu'il ne trouvera dans sa langue aucun terme correspondant à celles dont il a quelques idées.

A. – Et pourquoi ne le croiront-ils pas ?

B. – Parce qu'en comparant leurs mœurs aux nôtres, ils aimeront
205 mieux prendre Aotourou pour un menteur, que de nous croire si fous.

A. – En vérité ?

B. – Je n'en doute pas : la vie sauvage est si simple, et nos sociétés sont des machines si compliquées ! Le Tahitien
210 touche à l'origine du monde, et l'Européen touche à sa vieillesse. L'intervalle qui le sépare de nous est plus grand que la distance de l'enfant qui naît à l'homme décrépit [2]. Il n'entend rien [3] à nos usages, à nos lois, ou il n'y voit que des entraves [4] déguisées sous cent formes diverses, entraves qui ne peuvent
215 qu'exciter [5] l'indignation et le mépris d'un être en qui le sentiment de la liberté est le plus profond des sentiments.

old age (annotation en marge, ligne 211)

despise (annotation en marge, ligne 216)

A. – Est-ce que vous donneriez dans la fable [6] de Tahiti ?

B. – Ce n'est point une fable ; et vous n'auriez aucun doute sur la sincérité [7] de Bougainville, si vous connaissiez le supplément
220 de son *Voyage*.

A. – Et où trouve-t-on ce supplément ?

---

1. *Conçues* : comprises.
2. *Décrépit* : usé, dans une extrême déchéance physique et, par conséquent, vieux.
3. *Il n'entend rien* : il ne comprend rien.
4. *Entraves* : obstacles.
5. *Exciter* : faire naître.
6. *Vous donneriez dans la fable* : vous prêteriez foi au mythe.
7. *Sincérité* : bonne foi.

B. – Là, sur cette table.

A. – Est-ce que vous ne me le confieriez pas ?

B. – Non ; mais nous pourrons le parcourir ensemble, si vous
225   voulez.

A. – Assurément, je le veux. Voilà le brouillard qui retombe, et
l'azur du ciel qui commence à paraître. Il semble que mon lot
soit d'avoir tort avec vous jusque dans les moindres choses ; il
faut que je sois bien bon pour vous pardonner une supériorité
230   aussi continue !

B. – Tenez, tenez, lisez : passez ce préambule qui ne signifie rien[1],
et allez droit aux adieux que fit un des chefs de l'île à nos
voyageurs. Cela vous donnera quelque notion de l'éloquence[2]
de ces gens-là.

235 A. – Comment Bougainville a-t-il compris ces adieux prononcés
dans une langue qu'il ignorait ?

B. – Vous le saurez.

Les deux hommes parlent sur le voyage de Bougainville.
↳ mais, dans quelle année ? Est-ce que Bougainville avait
une conversation avec les autres ? Ou c'est Diderot ?

---

1. C'est un clin d'œil de l'auteur au lecteur. Ce préambule est celui qu'il vient
de lire.
2. *Éloquence* : art de s'exprimer.

[handwritten annotations in margins: "fiction ←", "(de la conversation)", "pour", "Dans la point de vue de vieillard :", "↳ Tahitien"]

2

Les adieux du vieillard

C'est un vieillard qui parle. Il était père d'une famille nombreuse. À l'arrivée des Européens, il laissa tomber des regards de dédain sur eux, sans marquer ni étonnement, ni frayeur, ni curiosité. Ils l'abordèrent ; il leur tourna le dos et se retira dans sa cabane. Son
5 silence et son souci ne décelaient que trop[1] sa pensée : il gémissait en lui-même sur les beaux jours de son pays éclipsés[2]. Au départ de Bougainville, lorsque les habitants accouraient en foule sur le rivage, s'attachaient à ses vêtements, serraient ses camarades entre leurs bras, et pleuraient, ce vieillard s'avança d'un air sévère, et dit :
10 « Pleurez, malheureux Tahitiens ! pleurez ; mais que ce soit de l'arrivée, et non du départ de ces hommes ambitieux et méchants : un jour, vous les connaîtrez mieux. Un jour, ils reviendront, le morceau de bois[3] que vous voyez attaché à la ceinture de celui-ci, dans une main, et le fer[4] qui pend au côté de celui-là, dans l'autre, vous
15 enchaîner, vous égorger ou vous assujettir à leurs extravagances et à leurs vices ; un jour vous servirez sous eux, aussi corrompus, aussi vils, aussi malheureux qu'eux. Mais je me console ; je touche à la fin de ma carrière[5] ; et la calamité que je vous annonce, je ne la verrai

---

1. *Ne décelaient que trop* : révélaient clairement.
2. *Éclipsés* : perdus.
3. *Le morceau de bois* : la croix de l'aumônier.
4. *Le fer* : l'épée du soldat.
5. *Je touche à la fin de ma carrière* : j'atteins la fin de ma vie (« carrière » signifie ici « cours de la vie »).

point. Ô Tahitiens ! ô mes amis ! vous auriez un moyen d'échapper à
20 un funeste avenir ; mais j'aimerais mieux mourir que de vous en
donner le conseil. Qu'ils s'éloignent et qu'ils vivent. »

Puis s'adressant à Bougainville, il ajouta :

« Et toi, chef des brigands qui t'obéissent, écarte promptement
ton vaisseau de notre rive : nous sommes innocents[1], nous
25 sommes heureux ; et tu ne peux que nuire à notre bonheur. Nous
suivons le pur instinct de la nature ; et tu as tenté d'effacer de nos
âmes son caractère[2]. Ici tout est à tous ; et tu nous as prêché je ne
sais quelle distinction du *tien* et du *mien*. Nos filles et nos femmes
nous sont communes ; tu as partagé ce privilège avec nous ; et tu
30 es venu allumer en elles des fureurs inconnues. Elles sont deve-
nues folles dans tes bras ; tu es devenu féroce entre les leurs. Elles
ont commencé à se haïr ; vous vous êtes égorgés pour elles ; et
elles nous sont revenues teintes de votre sang. Nous sommes
libres ; et voilà que tu as enfoui dans notre terre le titre de notre
35 futur esclavage[3]. Tu n'es ni un dieu, ni un démon : qui es-tu donc,
pour faire des esclaves ? Orou ! toi qui entends[4] la langue de ces
hommes-là, dis-nous à tous, comme tu me l'as dit à moi-même, ce
qu'ils ont écrit sur cette lame de métal : "Ce pays est à nous." Ce
pays est à toi ! et pourquoi ? parce que tu y as mis le pied ? Si un
40 Tahitien débarquait un jour sur vos côtes, et qu'il gravât sur une
de vos pierres ou sur l'écorce d'un de vos arbres : "Ce pays appartient aux habitants de Tahiti", qu'en penserais-tu ? Tu es le plus
fort ! Et qu'est-ce que cela fait ? Lorsqu'on t'a enlevé[5] une des
méprisables bagatelles dont ton bâtiment est rempli, tu t'es

---

1. Innocents : purs.
2. Son caractère : sa marque.
3. Allusion à l'acte de prise de possession de l'île par Bougainville. Dans son
Voyage autour du monde, le navigateur écrit : « J'enfouis près du hangar, un acte de
prise de possession inscrit sur une planche de chêne avec une bouteille bien fermée
et luttée [scellée] contenant les noms des officiers des deux navires. »
4. Entends : comprends.
5. Enlevé : dérobé.

45 récrié, tu t'es vengé ; et dans le même instant tu as projeté au fond
de ton cœur [1] le vol de toute une contrée ! Tu n'es pas esclave : tu
souffrirais la mort plutôt que de l'être, et tu veux nous asservir !
Tu crois donc que le Tahitien ne sait pas défendre sa liberté et
mourir ? Celui dont tu veux t'emparer comme de la brute, le
50 Tahitien, est ton frère. Vous êtes deux enfants de la nature ; quel
droit as-tu sur lui qu'il n'ait pas sur toi ? Tu es venu ; nous
sommes-nous jetés sur ta personne ? Avons-nous pillé ton vaisseau ? T'avons-nous saisi et exposé aux flèches de nos ennemis ?
T'avons-nous associé dans nos champs au travail de nos ani-
55 maux ? Nous avons respecté notre image en toi. Laisse-nous nos
mœurs ; elles sont plus sages et plus honnêtes que les tiennes ;
nous ne voulons point troquer ce que tu appelles notre ignorance,
contre tes inutiles lumières. Tout ce qui nous est nécessaire et bon,
nous le possédons. Sommes-nous dignes de mépris, parce que
60 nous n'avons pas su nous faire des besoins superflus ? Lorsque
nous avons faim, nous avons de quoi manger ; lorsque nous
avons froid, nous avons de quoi nous vêtir. Tu es entré dans nos
cabanes, qu'y manque-t-il, à ton avis ? Poursuis jusqu'où tu voudras ce que tu appelles les commodités de la vie ; mais permets à
65 des êtres sensés de s'arrêter, lorsqu'ils n'auraient à obtenir, de la
continuité de leurs pénibles efforts, que des biens imaginaires. Si
tu nous persuades de franchir l'étroite limite du besoin, quand
finirons-nous de travailler ? Quand jouirons-nous ? Nous avons
rendu la somme de nos fatigues annuelles et journalières la
70 moindre qu'il était possible, parce que rien ne nous paraît
préférable au repos. Va dans ta contrée t'agiter, te tourmenter
tant que tu voudras ; laisse-nous reposer : ne nous entête ni de tes
besoins factices [2], ni de tes vertus chimériques. Regarde ces
hommes ; vois comme ils sont droits, sains et robustes. Regarde
75 ces femmes ; vois comme elles sont droites, saines, fraîches et

---

1. Projeté au fond de ton cœur : prémédité.
2. Factices : faux.

belles. Prends cet arc, c'est le mien ; appelle à ton aide un, deux, trois, quatre de tes camarades, et tâchez de le tendre. Je le tends moi seul. Je laboure la terre ; je grimpe la montagne ; je perce la forêt ; je parcours une lieue[1] de la plaine en moins d'une heure.
80 Tes jeunes compagnons ont eu peine à me suivre ; et j'ai quatre-vingt-dix ans passés. Malheur à cette île ! malheur aux Tahitiens présents, et à tous les Tahitiens à venir, du jour où tu nous as visités ! Nous ne connaissions qu'une maladie ; celle à laquelle l'homme, l'animal et la plante ont été condamnés, la vieillesse ; et
85 tu nous en as apporté une autre : tu as infecté notre sang[2]. Il nous faudra peut-être exterminer de nos propres mains nos filles, nos femmes, nos enfants ; ceux qui ont approché tes femmes[3] ; celles qui ont approché tes hommes. Nos champs seront trempés du sang impur qui a passé de tes veines dans les nôtres ; ou nos
90 enfants, condamnés à nourrir et à perpétuer le mal que tu as donné aux pères et aux mères, et qu'ils transmettront à jamais à leurs descendants. Malheureux ! tu seras coupable, ou des ravages qui suivront les funestes caresses des tiens, ou des meurtres que nous commettrons pour en arrêter le poison. Tu parles de crime !
95 as-tu l'idée d'un plus grand crime que le tien ? Quel est chez toi le châtiment de celui qui tue son voisin ? La mort par le fer. Quel est chez toi le châtiment du lâche qui l'empoisonne ? La mort par le feu : compare ton forfait à ce dernier ; et dis-nous, empoisonneur de nations, le supplice que tu mérites ? Il n'y a qu'un moment,
100 la jeune Tahitienne s'abandonnait avec transport[4] aux embrassements du jeune Tahitien ; elle attendait avec impatience que sa mère, autorisée par l'âge nubile[5], relevât son voile, et mît sa

---

1. *Une lieue* : voir note 7, p. 33.
2. Le vieillard accuse les colons d'avoir introduit sur l'île la syphilis, maladie vénérienne.
3. En réalité, une seule femme prit part à l'expédition de Bougainville : Jeanne Barré (voir encadré p. 52).
4. *Avec transport* : avec plaisir.
5. *L'âge nubile* : l'âge d'être mariée.

gorge à nu. Elle était fière d'exciter les désirs, et d'irriter les
regards amoureux de l'inconnu, de ses parents, de son frère ; elle
105 acceptait sans frayeur et sans honte, en notre présence, au milieu
d'un cercle d'innocents Tahitiens, au son des flûtes, entre les
danses, les caresses de celui que son jeune cœur et la voix secrète
de ses sens lui désignaient. L'idée de crime et le péril de la maladie
sont entrés avec toi parmi nous. Nos jouissances, autrefois si
110 douces, sont accompagnées de remords et d'effroi. Cet homme
noir[1], qui est près de toi, qui m'écoute, a parlé à nos garçons ; je
ne sais ce qu'il a dit à nos filles ; mais nos garçons hésitent ; mais
nos filles rougissent. Enfonce-toi, si tu veux, dans la forêt obscure
avec la compagne perverse[2] de tes plaisirs ; mais accorde aux
115 bons et simples Tahitiens de se reproduire sans honte, à la face
du ciel et au grand jour. Quel sentiment plus honnête et plus
grand pourrais-tu mettre à la place de celui que nous leur avons
inspiré, et qui les anime ? Ils pensent que le moment d'enrichir la
nation et la famille d'un nouveau citoyen est venu, et ils s'en
120 glorifient. Ils mangent pour vivre et pour croître : ils croissent
pour multiplier[3], et ils n'y trouvent ni vice, ni honte. Écoute la
suite de tes forfaits. À peine t'es-tu montré parmi eux, qu'ils sont
devenus voleurs. À peine es-tu descendu dans notre terre, qu'elle a
fumé de sang. Ce Tahitien qui courut à ta rencontre, qui t'accueil-
125 lit, qui te reçut en criant "Taïo ! ami, ami" : vous l'avez tué. Et
pourquoi l'avez-vous tué ? parce qu'il avait été séduit par l'éclat
de tes petits œufs de serpents[4]. Il te donnait ses fruits ; il t'offrait
sa femme et sa fille ; il te cédait sa cabane : et tu l'as tué pour une
poignée de ces grains, qu'il avait pris sans te le demander. Et ce
130 peuple ? Au bruit de ton arme meurtrière, la terreur s'est emparée
de lui ; et il s'est enfui dans la montagne. Mais crois qu'il n'aurait
pas tardé d'en descendre ; crois qu'en un instant, sans moi, vous

---

1. Cet homme noir : l'expression désigne l'aumônier, vêtu d'un habit noir.

2. Perverse : corrompue.

3. Multiplier : se reproduire.

4. Tes petits œufs de serpents : ta verroterie, ta pacotille.

périssiez tous. Eh! pourquoi les ai-je apaisés? pourquoi les ai-je contenus? pourquoi les contiens-je encore dans ce moment? Je
135 l'ignore; car tu ne mérites aucun sentiment de pitié; car tu as une âme féroce qui ne l'éprouva jamais. Tu t'es promené, toi et les tiens, dans notre île; tu as été respecté; tu as joui de tout; tu n'as trouvé sur ton chemin ni barrière, ni refus: on t'invitait, tu t'asseyais; on étalait devant toi l'abondance[1] du pays. As-tu voulu de
140 jeunes filles? Excepté celles qui n'ont pas encore le privilège de montrer leur visage et leur gorge, les mères t'ont présenté les autres toutes nues; te voilà possesseur de la tendre victime du devoir hospitalier[2]; on a jonché, pour elle et pour toi, la terre de feuilles et de fleurs; les musiciens ont accordé leurs instruments;
145 rien n'a troublé la douceur, ni gêné la liberté de tes caresses ni des siennes. On a chanté l'hymne, l'hymne qui t'exhortait[3] à être homme, qui exhortait notre enfant à être femme, et femme complaisante et voluptueuse. On a dansé autour de votre couche; et c'est au sortir des bras de cette femme, après avoir éprouvé sur
150 son sein la plus douce ivresse, que tu as tué son frère, son ami, son père, peut-être. Tu as fait pis encore; regarde de ce côté; vois cette enceinte hérissée de flèches; ces armes qui n'avaient menacé que nos ennemis, vois-les tournées contre nos propres enfants[4]: vois les malheureuses compagnes de vos plaisirs; vois leur tristesse;
155 vois la douleur de leurs pères; vois le désespoir de leurs mères: c'est là qu'elles sont condamnées à périr ou par nos mains, ou par le mal que tu leur as donné. Éloigne-toi, à moins que tes yeux cruels ne se plaisent à des spectacles de mort: éloigne-toi; va, et

---

1. *L'abondance*: les richesses.

2. *Du devoir hospitalier*: de la politesse de Tahiti, voir note 4, p. 37.

3. *T'exhortait*: t'encourageait.

4. Les Tahitiens ont aidé Bougainville à élever une enceinte autour du hangar à pirogues, dans lequel le navigateur avait établi ses malades, et autour du jardin des membres de son expédition. Le *Voyage autour du monde* ne dit rien des flèches évoquées par le vieillard. Fournies par les insulaires et surmontant ces enceintes, elles se trouvent ainsi, selon Diderot, tournées contre les Tahitiens.

En avril 1768, Bougainville arrive avec la frégate la *Boudeuse* et avec la flûte l'*Étoile* dans la baie Hitiaa de Tahiti. Dans son journal de voyage, il note alors ceci : « [...] Au lever de l'aurore, nous reconnûmes que les deux terres qui, la veille, nous avaient paru séparées, étaient unies ensemble par une terre plus basse, qui se courbait en arc et formait une baie au nord-est. Nous courions à pleines voiles vers la terre [...] lorsque nous aperçûmes une pirogue qui venait du large et voguait vers la côte, se servant de sa voile et de ses pagaies [...]. » Bougainville n'était pas le premier à découvrir l'île : en 1667, le navigateur anglais Wallis l'avait accostée et, avant lui encore, en 1607, le Portugais Pedro Fernandez de Queirós...

puissent les mers coupables qui t'ont épargné dans ton voyage, s'absoudre[1], et nous venger en t'engloutissant avant ton retour ! Et vous, Tahitiens, rentrez dans vos cabanes, rentrez tous ; et que ces indignes étrangers n'entendent à leur départ que le flot qui mugit, et ne voient que l'écume dont sa fureur blanchit une rive déserte ! »

À peine eut-il achevé, que la foule des habitants disparut : un vaste silence régna dans toute l'étendue de l'île ; et l'on n'entendit que le sifflement aigu des vents et le bruit sourd des eaux sur toute la longueur de la côte : on eût dit que l'air et la mer, sensibles à la voix du vieillard, se disposaient à lui obéir.

B. – Eh bien ! qu'en pensez-vous ? ↳ beaucoup d'émotion et colère

A. – Ce discours me paraît véhément[2] ; mais à travers je ne sais quoi d'abrupt et de sauvage[3], il me semble retrouver des idées et des tournures européennes.

B. – Pensez donc que c'est une traduction du tahitien en espagnol, et de l'espagnol en français. Le vieillard s'était rendu, la nuit, chez cet Orou qu'il a interpellé, et dans la case duquel l'usage de la langue espagnole s'était conservé de temps immémorial. Orou avait écrit en espagnol la harangue[4] du vieillard ; et Bougainville en avait une copie à la main, tandis que le Tahitien la prononçait.

A. – Je ne vois que trop à présent pourquoi Bougainville a supprimé ce fragment ; mais ce n'est pas là tout ; et ma curiosité pour le reste n'est pas légère.

---

1. *Puissent les mers coupables* [...] *s'absoudre* : puissent les mers coupables racheter leur péchés.
2. *Véhément* : enflammé.
3. *Sauvage* : « On dit aussi qu'un mot, une phrase, ou la construction d'un discours ont quelque chose de *sauvage*, quand il y a quelque chose de rude à quoi on n'est pas accoutumé, qui paraît étranger » (dictionnaire Furetière, 1690).
4. *Harangue* : discours solennel prononcé devant une assemblée.

185 B. – Ce qui suit, peut-être, vous intéressera moins.

A. – N'importe.

B. – C'est un entretien de l'aumônier de l'équipage avec un habitant de l'île.

A. – Orou ?

190 B. – Lui-même. Lorsque le vaisseau de Bougainville approcha de Tahiti, un nombre infini d'arbres creusés furent lancés sur les eaux ; en un instant son bâtiment en fut environné ; de quelque côté qu'il tournât ses regards, il voyait des démonstrations de surprise et de bienveillance. On lui jetait des provisions ; on lui 195 tendait les bras ; on s'attachait à des cordes ; on gravissait contre des planches ; on avait rempli sa chaloupe ; on criait vers le rivage, d'où les cris étaient répondus ; les habitants de l'île accouraient ; les voilà tous à terre : on s'empare des hommes de l'équipage ; on se les partage ; chacun conduit le 200 sien dans sa cabane : les hommes les tenaient embrassés par le milieu du corps ; les femmes leur flattaient[1] les joues de leurs mains. Placez-vous là ; soyez témoin, par pensée, de ce spectacle d'hospitalité ; et dites-moi comment vous trouvez l'espèce humaine.

205 A. – Très belle.

B. – Mais j'oublierais peut-être de vous parler d'un événement assez singulier[2]. Cette scène de bienveillance et d'humanité fut troublée tout à coup par les cris d'un homme qui appelait à son secours ; c'était le domestique d'un des officiers de Bougainville. 210 Des jeunes Tahitiens s'étaient jetés sur lui, l'avaient étendu par terre, le déshabillaient et se disposaient à lui faire la civilité[3].

---

1. *Flattaient* : caressaient.
2. *Singulier* : curieux.
3. *La civilité* : la politesse de Tahiti ; voir note 4, p. 37.

A. – Quoi ! ces peuples si simples, ces sauvages si bons, si honnêtes ?...

B. – Vous vous trompez ; ce domestique était une femme déguisée en homme. Ignorée de l'équipage entier, pendant tout le temps d'une longue traversée, les Tahitiens devinèrent son sexe au premier coup d'œil. Elle était née en Bourgogne ; elle s'appelait Barré ; ni laide, ni jolie, âgée de vingt-six ans. Elle n'était jamais sortie de son hameau ; et sa première pensée de voyager fut de faire le tour du globe : elle montra toujours de la sagesse et du courage.

A. – Ces frêles machines-là [1] renferment quelquefois des âmes bien fortes.

---

1. *Ces frêles machines-là* : ces êtres fragiles.

Jeanne Barré

Dans son *Voyage autour du monde*, Bougainville relate l'aventure de Jeanne Barré, engagée comme domestique à Rochefort par Philibert Commerson (1727-1773) – naturaliste participant à l'expédition de Bougainville : elle s'est présentée à lui dans des vêtements d'homme, les femmes n'étant pas admises sur les vaisseaux.

Bougainville ne manque pas d'évoquer les rumeurs qui circulent, au cours de l'expédition, entre les équipages des deux navires au sujet du jeune domestique – « sa structure, le son de sa voix, son menton sans barbe, son attention scrupuleuse à ne jamais changer de linge, ni faire ses nécessités devant qui que ce fût, écrit-il, plusieurs autres indices avaient fait naître et accréditaient le soupçon ». Il ne mentionne jamais cependant le nom du naturaliste ni même sa liaison avec son subalterne, se contentant de souligner l'application au travail et les talents de botaniste de ce dernier.

C'est lorsque les équipages arrivent à Tahiti que la véritable identité du domestique est révélée. Les insulaires reconnaissent en lui une jeune femme et s'apprêtent à lui faire les honneurs du pays. Mais, défendue par l'un des membres de l'expédition, Jeanne Barré est reconduite sur l'*Étoile*.

Diderot, s'il suit assez fidèlement Bougainville dans son récit de l'épisode – jusqu'à reprendre à son compte la clausule célébrant le courage des femmes : « Ces frêles machines-là renferment quelquefois des âmes bien fortes. » –, en profite pour prévenir toute méprise possible sur la politesse de Tahiti : elle ne va pas jusqu'à la pratique de l'homosexualité observée chez les Amérindiens depuis près de trois siècles. ■

3

L'entretien de l'aumônier
et d'Orou

B. – Dans la division[1] que les Tahitiens se firent de l'équipage de Bougainville, l'aumônier devint le partage d'Orou[2]. L'aumônier et le Tahitien étaient à peu près du même âge, trente-cinq à trente-six ans. Orou n'avait alors que sa femme et trois filles, appelées Asto, Palli et Thia. Elles le déshabillèrent, lui lavèrent le visage, les mains et les pieds, et lui servirent un repas sain et frugal. Lorsqu'il fut sur le point de se coucher, Orou, qui s'était absenté avec sa famille, reparut, lui présenta sa femme et ses trois filles nues, et lui dit :

« Tu as soupé, tu es jeune, tu te portes bien ; si tu dors seul, tu dormiras mal ; l'homme a besoin la nuit d'une compagne à son côté. Voilà ma femme, voilà mes filles : choisis celle qui te convient ; mais si tu veux m'obliger[3], tu donneras la préférence à la plus jeune de mes filles qui n'a point encore eu d'enfants. »

La mère ajouta :

« Hélas ! je n'ai pas à m'en plaindre ; la pauvre Thia ! ce n'est pas sa faute. »

---

1. Division : répartition ; voir p. 50.
2. Devint le partage d'Orou : revint à Orou.
3. Si tu veux m'obliger : si tu veux me faire honneur.

L'aumônier répondit que sa religion, son état, les bonnes
mœurs et l'honnêteté[1] ne lui permettaient pas d'accepter ces
offres.

Orou répliqua :

« Je ne sais ce que c'est que la chose que tu appelles religion ;
mais je ne puis qu'en penser mal[2], puisqu'elle t'empêche de
goûter un plaisir innocent, auquel nature, la souveraine
maîtresse, nous invite tous ; de donner l'existence à un de tes
semblables ; de rendre un service que le père, la mère et les
enfants te demandent ; de t'acquitter envers un hôte qui t'a fait
un bon accueil, et d'enrichir une nation, en l'accroissant d'un
sujet de plus. Je ne sais ce que c'est que la chose que tu appelles
état ; mais ton premier devoir est d'être homme et d'être recon-
naissant. Je ne te propose pas de porter dans ton pays les mœurs
d'Orou ; mais Orou, ton hôte et ton ami, te supplie de te prêter
aux mœurs de Tahiti. Les mœurs de Tahiti sont-elles meilleures
ou plus mauvaises que les vôtres ? C'est une question facile à
décider. La terre où tu es né a-t-elle plus d'hommes qu'elle n'en
peut nourrir ? En ce cas tes mœurs ne sont ni pires, ni meilleures
que les nôtres. En peut-elle nourrir plus qu'elle n'en a ? Nos
mœurs sont meilleures que les tiennes. Quant à l'honnêteté que
tu m'objectes, je te comprends ; j'avoue que j'ai tort ; et je t'en
demande pardon. Je n'exige pas que tu nuises à ta santé ; si tu es
fatigué, il faut que tu te reposes ; mais j'espère que tu ne continue-
ras pas à nous contrister[3]. Vois le souci que tu as répandu sur
tous ces visages : elles craignent que tu n'aies remarqué en elles
quelques défauts qui leur attirent ton dédain. Mais quand cela
serait[4], le plaisir d'honorer une de mes filles, entre ses compagnes et ses sœurs, et de faire une bonne action, ne te suffirait-il
pas ? Sois généreux ! »

---

1. *Honnêteté* : décence, convenance.

2. *Je ne puis qu'en penser mal* : je ne peux en penser que du mal.

3. *Contrister* : plonger dans une profonde tristesse.

4. *Quand cela serait* : même si c'était le cas.

L'AUMÔNIER

Ce n'est pas cela : elles sont toutes quatre également belles ;
50 mais ma religion ! mais mon état !

OROU

Elles m'appartiennent, et je te les offre : elles sont à elles, et
elles se donnent à toi. Quelle que soit la pureté de conscience
que la chose *religion* et la chose *état* te prescrivent [1], tu peux les
accepter sans scrupule. Je n'abuse point de mon autorité ; et sois
55 sûr que je connais et que je respecte les droits des personnes.

Ici, le véridique [2] aumônier convient que jamais la Providence [3]
ne l'avait exposé à une aussi pressante tentation. Il était jeune ; il
s'agitait, il se tourmentait ; il détournait ses regards des aimables
suppliantes ; il les ramenait sur elles ; il levait ses yeux et ses
60 mains au ciel. Thia, la plus jeune, embrassait ses genoux et lui
disait :

« Étranger, n'afflige pas mon père, n'afflige pas ma mère, ne
m'afflige pas ! Honore-moi dans la cabane et parmi les miens ;
élève-moi au rang de mes sœurs qui se moquent de moi. Asto
65 l'aînée a déjà trois enfants ; Palli, la seconde, en a deux, et Thia
n'en a point ! Étranger, honnête étranger, ne me rebute pas [4] !
Rends-moi mère ; fais-moi un enfant que je puisse un jour promener par la main, à côté de moi, dans Tahiti ; qu'on voie dans neuf
mois attaché à mon sein ; dont je sois fière, et qui fasse une partie
70 de ma dot, lorsque je passerai de la cabane de mon père dans une
autre. Je serai peut-être plus chanceuse avec toi qu'avec nos
jeunes Tahitiens. Si tu m'accordes cette faveur, je ne t'oublierai

---

1. *Te prescrivent* : t'ordonnent de respecter.
2. *Véridique* : « Qui dit la vérité, qui ne déguise rien » (dictionnaire Furetière,
1690).
3. *La Providence* : la toute-puissance divine.
4. *Ne me rebute pas* : ne me repousse pas.

plus ; je te bénirai toute ma vie ; j'écrirai ton nom sur mon bras et
sur celui de ton fils ; nous le prononcerons sans cesse avec joie ;
75 et, lorsque tu quitteras ce rivage, mes souhaits t'accompagneront
sur les mers jusqu'à ce que tu sois arrivé dans ton pays. »

naïve   Le naïf aumônier dit qu'elle lui serrait les mains, qu'elle attachait sur ses yeux des regards si expressifs et si touchants ; qu'elle
pleurait ; que son père, sa mère et ses sœurs s'éloignèrent ; qu'il
80 resta seul avec elle, et qu'en disant « Mais ma religion, mais mon
état », il se trouva le lendemain couché à côté de cette jeune fille,
qui l'accablait de caresses, et qui invitait son père, sa mère et ses
sœurs, lorsqu'ils s'approchèrent de leur lit le matin, à joindre leur
reconnaissance à la sienne.

85   Asto et Palli, qui s'étaient éloignées, rentrèrent avec les mets du
pays, des boissons et des fruits : elles embrassaient leur sœur et
faisaient des vœux sur elle[1]. Ils déjeunèrent tous ensemble ;
ensuite Orou, demeuré seul avec l'aumônier, lui dit :

« Je vois que ma fille est contente de toi ; et je te remercie. Mais
90 pourrais-tu m'apprendre ce que c'est que le mot religion, que tu
as prononcé tant de fois, et avec tant de douleur ? »

L'aumônier, après avoir rêvé[2] un moment, répondit :

« Qui est-ce qui a fait ta cabane et les ustensiles qui la meublent ? »

cabin   *tools*

conversation
de Dieu

OROU

C'est moi.

L'AUMÔNIER

95   Eh bien ! nous croyons que ce monde et ce qu'il renferme est
l'ouvrage[3] d'un ouvrier.

OROU

Il a donc des pieds, des mains, une tête ?

---

1. *Faisaient des vœux sur elle* : formaient des vœux pour elle.
2. *Après avoir rêvé* : après avoir réfléchi.
3. *L'ouvrage* : l'œuvre.

L'AUMÔNIER

Non.

OROU

Où fait-il sa demeure ?

maison

L'AUMÔNIER

100   Partout.

OROU

Ici même !

L'AUMÔNIER

Ici.

OROU

Nous ne l'avons jamais vu.

L'AUMÔNIER

On ne le voit pas.

OROU

105   Voilà un père bien indifférent [1] ! Il doit être vieux ; car il a du
moins l'âge de son ouvrage.

→ s'étendre du christianisme

[viji] - to get old L'AUMÔNIER

Il ne vieillit point ; il a parlé à nos ancêtres : il leur a donné des
lois ; il leur a prescrit [2] la manière dont il voulait être honoré [3] ; il
leur a ordonné certaines actions, comme bonnes ; il leur en a
110   défendu d'autres, comme mauvaises.

au prophet

OROU

J'entends [4] ; et une de ces actions qu'il leur a défendues comme
mauvaises, c'est de coucher avec une femme et une fille ?
Pourquoi donc a-t-il fait deux sexes ?

---

1. *Indifférent* : détaché.
2. *Il leur a prescrit* : il leur a indiqué, recommandé.
3. *Honoré* : célébré.
4. *J'entends* : je comprends.

to form a union   L'AUMÔNIER _mariage_

Pour s'unir ; mais à certaines conditions requises, après cer-
115 taines cérémonies préalables, en conséquence desquelles[1] un
homme appartient à une femme, et n'appartient qu'à elle ; une
femme appartient à un homme, et n'appartient qu'à lui.

OROU

Pour toute leur vie ?

L'AUMÔNIER

Pour toute leur vie.

OROU

120 En sorte que, s'il arrivait à une femme de coucher avec un autre
que son mari, ou à un mari de coucher avec une autre que sa
femme... mais cela n'arrive point, car, puisqu'il est là, et que cela
lui déplaît, il sait les en empêcher.

l'adultère   L'AUMÔNIER _to sin_

Non ; il les laisse faire, et ils <u>pèchent</u> contre la loi de Dieu, car
125 c'est ainsi que nous appelons le grand ouvrier, contre la loi du
pays ; et ils commettent un crime.

OROU

Je serais fâché de t'offenser par mes discours ; mais si tu le
permettais, je te dirais mon avis.

L'AUMÔNIER

Parle.

OROU

130 Ces préceptes singuliers[2], je les trouve opposés à la nature,
contraires à la raison ; faits pour multiplier les crimes, et fâcher à
tout moment le vieil ouvrier, qui a tout fait sans tête, sans mains et
sans outils ; qui est partout, et qu'on ne voit nulle part ; qui dure

---

1. _En conséquence desquelles_ : à la suite desquelles.
2. _Ces préceptes singuliers_ : ces règles curieuses.

aujourd'hui et demain, et qui n'a pas un jour de plus ; qui com-
135 mande et qui n'est pas obéi ; qui peut empêcher, et qui n'empêche
pas. Contraires à la nature, parce qu'ils supposent qu'un être sentant, pensant et libre, peut être la propriété d'un être semblable à
lui. Sur quoi ce droit serait-il fondé ? Ne vois-tu pas qu'on a
confondu, dans ton pays, la chose qui n'a ni sensibilité, ni pensée,
140 ni désir, ni volonté ; qu'on quitte, qu'on prend, qu'on garde, qu'on
échange sans qu'elle souffre et sans qu'elle se plaigne, avec la chose
qui ne s'échange point, qui ne s'acquiert point ; qui a liberté,
volonté, désir ; qui peut se donner ou se refuser pour un moment ;
se donner ou se refuser pour toujours ; qui se plaint et qui souffre ;
145 et qui ne saurait devenir un effet de commerce [1], sans qu'on oublie
son caractère, et qu'on fasse violence à la nature ? Contraires à la
loi générale des êtres. Rien, en effet, te paraît-il plus insensé qu'un
précepte qui proscrit le changement qui est en nous ; qui commande une constance qui n'y peut être, et qui viole la nature et la
150 liberté du mâle et de la femelle, en les enchaînant pour jamais l'un à
l'autre ; qu'une fidélité qui borne la plus capricieuse des jouis-
sances à un même individu ; qu'un serment d'immutabilité [2] de
deux êtres de chair, à la face d'un ciel qui n'est pas un instant le
même, sous des antres qui menacent ruine [3] ; au bas d'une roche
155 qui tombe en poudre ; au pied d'un arbre qui se gerce ; sur une
pierre qui s'ébranle ? Crois-moi, vous avez rendu la condition de
l'homme pire que celle de l'animal. Je ne sais ce que c'est que ton
grand ouvrier : mais je me réjouis qu'il n'ait point parlé à nos pères,
et je souhaite qu'il ne parle point à nos enfants ; car il pourrait par
160 hasard leur dire les mêmes sottises, et ils feraient peut-être celle de
les croire. Hier, en soupant, tu nous as entretenus de magistrats et
de prêtres ; je ne sais quels sont ces personnages que tu appelles
« magistrats » et « prêtres », dont l'autorité règle votre conduite ;
mais, dis-moi, sont-ils maîtres du bien et du mal ? Peuvent-ils faire

---

1. *Un effet de commerce* : un objet.
2. *Serment d'immutabilité* : promesse de ne pas changer.
3. *Menacent ruine* : risquent de tomber en ruine.

165 que ce qui est juste soit injuste, et que ce qui est injuste soit juste ?
Dépend-il d'eux d'attacher le bien à des actions nuisibles, et le mal
à des actions innocentes ou utiles ? Tu ne saurais le penser, car, à
ce compte, il n'y aurait ni vrai ni faux, ni bon ni mauvais, ni beau ni
laid ; du moins, que ce qu'il plairait à ton grand ouvrier, à tes
170 magistrats, à tes prêtres, de prononcer tel ; et, d'un moment à
l'autre, tu serais obligé de changer d'idées et de conduite. Un jour
on te dirait, de la part de l'un de tes trois maîtres : « Tue », et tu
serais obligé, en conscience, de tuer ; un autre jour : « Vole », et tu
serais tenu de voler ; ou : « Ne mange pas de ce fruit », et tu n'oserais
175 en manger ; « Je te défends ce légume ou cet animal », et tu te garde-
rais d'y toucher. Il n'y a point de bonté qu'on ne pût t'interdire ;
point de méchanceté qu'on ne pût t'ordonner. Et où en serais-tu
réduit, si tes trois maîtres, peu d'accord entre eux, s'avisaient de te
permettre, de t'enjoindre [1] et de te défendre la même chose, comme
180 je pense qu'il arrive souvent ? Alors, pour plaire au prêtre, il faudra
que tu te brouilles avec le magistrat ; pour satisfaire le magistrat, il
faudra que tu mécontentes le grand ouvrier ; et pour te rendre
agréable au grand ouvrier, il faudra que tu renonces à la nature [2].
Et sais-tu ce qui en arrivera ? c'est que tu les mépriseras tous trois,
185 et que tu ne seras ni homme, ni citoyen, ni pieux ; que tu ne seras
rien ; que tu seras mal [3] avec toutes les sortes d'autorité ; mal avec
toi-même, méchant, tourmenté par ton cœur ; persécuté par tes
maîtres insensés [4] ; et malheureux, comme je te vis hier au soir,
lorsque je te présentai mes filles, et que tu t'écriais : « Mais ma
190 religion ! mais mon état ! » Veux-tu savoir, en tout temps et en tout
lieu, ce qui est bon et mauvais ? Attache-toi [5] à la nature des choses
et des actions ; à tes rapports avec ton semblable ; à l'influence de
ta conduite sur ton utilité particulière et le bien général. Tu es en

---

1. **T'enjoindre** : t'ordonner, te mettre en demeure de.
2. **Que tu renonces à la nature** : que tu ailles à l'encontre de ta nature.
3. **Que tu seras mal** : que tu seras en désaccord.
4. **Insensés** : « Qui ont perdu le sens » (*Dictionnaire de l'Académie*, 1762).
5. **Attache-toi à** : préoccupe-toi de.

délire, si tu crois qu'il y ait rien [1], soit en haut, soit en bas, dans
195 l'univers, qui puisse ajouter ou retrancher aux lois de la nature. Sa
volonté éternelle est que le bien soit préféré au mal, et le bien
général au bien particulier. Tu ordonneras le contraire ; mais tu ne
seras pas obéi. Tu multiplieras les malfaiteurs et les malheureux
par la crainte, par le châtiment et par les remords ; tu dépraveras les
200 consciences ; tu corrompras les esprits ; ils ne sauront plus ce qu'ils
ont à faire ou à éviter. Troublés dans l'état d'innocence, tranquilles
dans le forfait, ils auront perdu de vue l'étoile polaire, leur chemin.
Réponds-moi sincèrement ; en dépit des ordres exprès [2] de tes trois
législateurs, un jeune homme, dans ton pays, ne couche-t-il jamais,
205 sans leur permission, avec une jeune fille ?

L'AUMÔNIER

Je mentirais si je te l'assurais.

OROU

La femme, qui a juré de n'appartenir qu'à son mari, ne se
donne-t-elle point à un autre ?

L'AUMÔNIER

Rien n'est plus commun.

OROU

210 Tes législateurs sévissent ou ne sévissent pas : s'ils sévissent, ce
sont des bêtes féroces qui battent la nature ; s'ils ne sévissent pas,
ce sont des imbéciles qui ont exposé au mépris leur autorité par
une défense inutile.

L'AUMÔNIER

Les coupables, qui échappent à la sévérité des lois, sont châtiés
215 par le blâme général.

---

1. *Qu'il y ait rien* : qu'il y ait quelque chose.
2. *Exprès* : précis, formels, exprimés sans détour.

OROU

C'est-à-dire que la justice s'exerce par le défaut[1] de sens commun de toute la nation ; et que c'est la folie de l'opinion qui supplée aux lois.

L'AUMÔNIER

La fille déshonorée ne trouve plus de mari.

OROU

220 Déshonorée ! et pourquoi ?

L'AUMÔNIER

La femme infidèle est plus ou moins méprisée.

OROU

Méprisée ! et pourquoi ?

L'AUMÔNIER

Le jeune homme s'appelle un lâche séducteur.

OROU

Un lâche ! un séducteur ! et pourquoi ?

L'AUMÔNIER

225 Le père, la mère et l'enfant sont désolés[2]. L'époux volage est un libertin[3] ; l'époux trahi partage la honte de sa femme.

OROU

Quel monstrueux tissu d'extravagances tu m'exposes là ! et encore tu ne me dis pas tout : car aussitôt qu'on s'est permis de disposer à son gré des idées de justice et de propriété ; d'ôter ou
230 de donner un caractère arbitraire aux choses ; d'unir aux actions ou d'en séparer le bien et le mal, sans consulter que le caprice, on

---

1. *Par le défaut* : par le manque, par l'absence.

2. *Désolés* : attristés, peinés, affligés.

3. *Libertin* : débauché ; « Qui aime trop sa liberté et l'indépendance, qui se dispense aisément de ses devoirs, qui hait toute sorte de sujétion et de contrainte » (*Dictionnaire de l'Académie*, 1762).

se blâme, on s'accuse, on se suspecte, on se tyrannise, on est envieux, on est jaloux, on se trompe, on s'afflige, on se cache, on dissimule, on s'épie, on se surprend, on se querelle, on ment ; les filles en imposent[1] à leurs parents ; les maris à leurs femmes ; les femmes à leurs maris ; des filles, oui, je n'en doute pas, des filles étoufferont leurs enfants ; des pères soupçonneux mépriseront et négligeront les leurs ; des mères s'en sépareront et les abandonneront à la merci du sort ; et le crime et la débauche se montreront sous toutes sortes de formes. Je sais tout cela, comme si j'avais vécu parmi vous. Cela est, parce que cela doit être ; et la société, dont votre chef vous vante le bel ordre, ne sera qu'un ramas[2] ou d'hypocrites, qui foulent secrètement aux pieds les lois ; ou d'infortunés, qui sont eux-mêmes les instruments de leur supplice, en s'y soumettant ; ou d'imbéciles, en qui le préjugé a tout à fait étouffé la voix de la nature ; ou d'êtres mal organisés, en qui la nature ne réclame pas ses droits.

L'AUMÔNIER

Cela ressemble[3]. Mais vous ne vous mariez donc point ?

OROU

Nous nous marions.

L'AUMÔNIER

Qu'est-ce que votre mariage ?

OROU

Le consentement d'habiter une même cabane, et de coucher dans un même lit, tant que nous nous y trouvons bien.

L'AUMÔNIER

Et lorsque vous vous y trouvez mal ?

---

1. **En imposent** : mentent.
2. **Ramas** : ramassis.
3. **Cela ressemble** : c'est à peu près cela.

OROU

OROU

Nous nous séparons.

L'AUMÔNIER

255 Que deviennent vos enfants ?

OROU

Ô étranger ! ta dernière question achève de me déceler[1] la profonde misère[2] de ton pays. Sache, mon ami, qu'ici la naissance d'un enfant est toujours un bonheur, et sa mort un sujet de regrets et de larmes. Un enfant est un bien précieux, parce qu'il
260 doit devenir un homme ; aussi, en avons-nous un tout autre soin que de nos plantes et de nos animaux. Un enfant qui naît, occasionne la joie domestique et publique : c'est un accroissement de fortune pour la cabane, et de force pour la nation : ce sont des bras et des mains de plus dans Tahiti ; nous voyons en lui un
265 agriculteur, un pêcheur, un chasseur, un soldat, un époux, un père. En repassant de la cabane de son mari dans celle de ses parents, une femme emmène avec elle ses enfants qu'elle avait apportés en dot : on partage ceux qui sont nés pendant la cohabitation commune ; et l'on compense[3], autant qu'il est possible, les
270 mâles par les femelles, en sorte qu'il reste à chacun à peu près un nombre égal de filles et de garçons.

L'AUMÔNIER

Mais des enfants sont longtemps à charge avant que de rendre service[4].

---

1. **Déceler** : révéler.

2. **Misère** : « On s'en sert pour exprimer la faiblesse et l'imperfection de l'homme » (*Dictionnaire de l'Académie*, 1762).

3. **On compense** [...] **les mâles par les femelles** : on répartit les mâles et les femelles.

4. **Avant que de rendre service** : avant de pouvoir rendre service.

OROU

Nous destinons[1] à leur entretien et à la subsistance des vieil-
275 lards, une sixième partie[2] de tous les fruits du pays ; ce tribut les
suit partout. Ainsi tu vois que plus la famille du Tahitien est nombreuse, plus elle est riche.

L'AUMÔNIER

Une sixième partie !

OROU

Oui ; c'est un moyen sûr d'encourager la population, et
280 d'intéresser[3] au respect de la vieillesse et à la conservation des
enfants.

L'AUMÔNIER

Vos époux se reprennent-ils[4] quelquefois ?

OROU

Très souvent ; cependant la durée la plus courte d'un mariage
est d'une lune à l'autre[5].

L'AUMÔNIER

285 À moins que la femme ne soit grosse[6] ; alors la cohabitation est
au moins de neuf mois ?

OROU

Tu te trompes ; la paternité, comme le tribut, suit son enfant
partout.

L'AUMÔNIER

Tu m'as parlé d'enfants qu'une femme apporte en dot à son
290 mari.

---

1. *Destinons à* : mettons de côté pour.
2. *Une sixième partie* : le sixième.
3. *D'intéresser* : d'inciter.
4. *Se reprennent-ils* : reviennent-ils sur leurs engagements.
5. C'est-à-dire de vingt-huit jours, durée du cycle lunaire.
6. *Grosse* : enceinte.

Assurément. Voilà ma fille aînée qui a trois enfants ; ils marchent ; ils sont sains ; ils sont beaux ; ils promettent d'être forts : lorsqu'il lui prendra fantaisie de se marier, elle les emmènera ; ils sont siens : son mari les recevra avec joie, et sa
295 femme ne lui en serait que plus agréable, si elle était enceinte d'un quatrième.

L'AUMÔNIER

De lui ?

OROU

De lui, ou d'un autre. Plus nos filles ont d'enfants, plus elles sont recherchées ; plus nos garçons sont vigoureux et beaux, plus ils
300 sont riches : aussi, autant nous sommes attentifs à préserver les unes de l'approche de l'homme, les autres du commerce[1] de la femme, avant l'âge de fécondité ; autant nous les exhortons à produire[2], lorsque les garçons sont pubères et les filles nubiles[3]. Tu ne saurais croire l'importance du service que tu auras rendu à ma fille
305 Thia, si tu lui as fait un enfant. Sa mère ne lui dira plus à chaque lune : « Mais, Thia, à quoi penses-tu donc ? Tu ne deviens point grosse ; tu as dix-neuf ans ; tu devrais avoir déjà deux enfants, et tu n'en as point. Quel est celui qui se chargera de toi ? Si tu perds ainsi tes jeunes ans, que feras-tu dans ta vieillesse ? Thia, il faut que tu
310 aies[4] quelques défauts qui éloignent de toi les hommes. Corrige-toi, mon enfant : à ton âge, j'avais été trois fois mère. »

L'AUMÔNIER

Quelles précautions prenez-vous pour garder vos filles et vos garçons adolescents ?

---

1. *Du commerce* : de la compagnie.
2. *À produire* : à se reproduire.
3. *Nubiles* : voir note 5, p. 45.
4. *Il faut que tu aies* : sans doute as-tu.

C'est l'objet principal de l'éducation domestique et le point le
315 plus important des mœurs publiques. Nos garçons, jusqu'à l'âge
de vingt-deux ans, deux ou trois ans au-delà de la puberté, restent
couverts d'une longue tunique, et les reins ceints d'une petite
chaîne. Avant que d'être nubiles, nos filles n'oseraient sortir sans
un voile blanc. Ôter sa chaîne, relever son voile, est une faute qui
320 se commet rarement, parce que nous leur en apprenons de bonne
heure les fâcheuses conséquences. Mais au moment où le mâle a
pris toute sa force, où les symptômes virils ont de la continuité, et
où l'effusion fréquente et la qualité de la liqueur séminale[1] nous
rassurent ; au moment où la jeune fille se fane, s'ennuie, est d'une
325 maturité propre à concevoir des désirs, à en inspirer et à les satisfaire avec utilité, le père détache la chaîne à son fils et lui coupe
l'ongle du doigt du milieu de la main droite. La mère relève le
voile de sa fille. L'un peut solliciter[2] une femme, et en être
sollicité ; l'autre, se promener publiquement le visage découvert
330 et la gorge nue, accepter ou refuser les caresses d'un homme. On
indique seulement d'avance, au garçon les filles, à la fille des
garçons, qu'ils doivent préférer. C'est une grande fête que celle
de l'émancipation d'une fille ou d'un garçon. Si c'est une fille, la
veille, les jeunes garçons se rassemblent en foule autour de la
335 cabane, et l'air retentit pendant toute la nuit du chant des voix et
du son des instruments. Le jour, elle est conduite par son père et
par sa mère dans une enceinte où l'on danse et où l'on fait l'exer-
cice du saut, de la lutte et de la course. On déploie[3] l'homme nu
devant elle, sous toutes les faces et dans toutes les attitudes. Si
340 c'est un garçon, ce sont les jeunes filles qui font en sa présence les
frais et les honneurs de la fête et exposent à ses regards la femme
nue, sans réserve et sans secret. Le reste de la cérémonie s'achève

---

1. *Liqueur séminale* : sperme.
2. *Solliciter* : tenter ; «Adam fut sollicité par sa femme à mordre dans le fruit
défendu» (dictionnaire Furetière, 1690).
3. *Déploie* : présente.

sur un lit de feuilles, comme tu l'as vu à ta descente parmi nous. À la chute du jour, la fille rentre dans la cabane de ses parents, ou
345 passe dans la cabane de celui dont elle a fait choix, et elle y reste tant qu'elle s'y plaît.

L'AUMÔNIER

Ainsi cette fête est ou n'est point un jour de mariage ?

OROU

Tu l'as dit…

A. – Qu'est-ce que je vois là en marge ?

350 B. – C'est une note, où le bon aumônier dit que les préceptes des parents sur le choix des garçons et des filles étaient pleins de bon sens et d'observations très fines et très utiles ; mais qu'il a supprimé ce catéchisme[1], qui aurait paru, à des gens aussi corrompus et aussi superficiels que nous, d'une licence[2]
355 impardonnable ; ajoutant toutefois que ce n'était pas sans regret qu'il avait retranché des détails où l'on aurait vu, premièrement, jusqu'où une nation, qui s'occupe sans cesse d'un objet important peut être conduite dans ses recherches, sans les secours[3] de la physique et de l'anatomie ; seconde-
360 ment, la différence des idées de la beauté dans une contrée où l'on rapporte les formes au plaisir d'un moment, et chez un peuple où elles sont appréciées d'après une utilité plus constante. Là, pour être belle, on exige un teint éclatant, un grand front, de grands yeux, des traits fins et délicats, une
365 taille légère, une petite bouche, de petites mains, un petit pied. Ici, presque aucun de ces éléments n'entre en calcul. La femme sur laquelle les regards s'attachent et que le désir

---

1. *Ce catéchisme* : cet enseignement de morale.
2. *Licence* : débauche.
3. *Sans les secours de* : sans avoir recours à.

poursuit, est celle qui promet beaucoup d'enfants (la femme du cardinal d'Ossat[1]), et qui les promet actifs, intelligents,
370 courageux, sains et robustes. Il n'y a presque rien de commun entre la Vénus[2] d'Athènes et celle de Tahiti ; l'une est Vénus galante, l'autre est Vénus féconde. Une Tahitienne disait un jour avec mépris à une autre femme du pays :
« Tu es belle, mais tu fais de laids enfants ; je suis laide, mais je
375 fais de beaux enfants, et c'est moi que les hommes préfèrent. »
Après cette note de l'aumônier, Orou continue.

A. – Avant qu'il reprenne son discours, j'ai une prière[3] à vous faire, c'est de me rappeler une aventure arrivée dans la Nouvelle-Angleterre[4].

380 B. – La voici. Une fille, Miss Polly Baker, devenue grosse[5] *to be pregnant* pour la cinquième fois, fut traduite devant le tribunal de justice de Connecticut[6], près de Boston. La loi condamne toutes les personnes du sexe qui ne doivent le titre de mère qu'au libertinage[7] à une amende, ou à une punition corporelle lorsqu'el-
385 les ne peuvent payer l'amende. Miss Polly, en entrant dans la salle où les juges étaient assemblés, leur tint ce discours :

fornication ←— en hors du mariage

---

1. Dans la *Correspondance littéraire* du 15 novembre 1771, Diderot avait rédigé le compte rendu d'un ouvrage de Mme d'Arconville intitulé *La Vie du cardinal d'Ossat*. Arnaud d'Ossat (1536-1604) devint cardinal en 1599. Ce haut représentant de l'Église, qui avait notamment en charge de conclure, d'empêcher ou d'annuler les mariages princiers, jugeait de la capacité d'une femme à avoir des enfants. C'est à cela, et non à une histoire d'épouse illégitime, que renvoie la formule de Diderot.
2. *Vénus* : déesse de l'Amour et de la Beauté dans la mythologie romaine (Aphrodite dans la mythologie grecque).
3. *Une prière* : une demande instante.
4. *Nouvelle-Angleterre* : région du nord-est des États-Unis.
5. *Grosse* : voir note 6, p. 65.
6. *De Connecticut* : du Connecticut, État du nord-est des États-Unis.
7. *Libertinage* : « Débauche et mauvaise conduite. Cette femme vit dans un grand libertinage » (*Dictionnaire de l'Académie*, 1762).

« Permettez-moi, Messieurs, de vous adresser quelques mots. Je suis une fille malheureuse et pauvre, je n'ai pas le moyen de payer des avocats pour prendre ma défense, et je ne vous retiendrai pas longtemps. Je ne me flatte[1] pas que dans la sentence que vous allez prononcer vous vous écartiez de la loi ; ce que j'ose espérer, c'est que vous daignerez implorer pour moi les bontés du gouvernement et obtenir qu'il me dispense de l'amende. Voici la cinquième fois que je parais[2] devant vous pour le même sujet ; deux fois j'ai payé des amendes onéreuses, deux fois j'ai subi une punition publique et honteuse parce que je n'ai pas été en état de payer. Cela peut être conforme à la loi, je ne le conteste point ; mais il y a quelquefois des lois injustes, et on les abroge[3] ; il y en a aussi de trop sévères, et la puissance législatrice peut dispenser de leur exécution. J'ose dire que celle qui me condamne est à la fois injuste en elle-même et trop sévère envers moi. Je n'ai jamais offensé personne dans le lieu où je vis, et je défie mes ennemis, si j'en ai quelques-uns, de pouvoir prouver que j'ai fait le moindre tort à un homme, à une femme, à un enfant. Permettez-moi d'oublier un moment que la loi existe, alors je ne conçois[4] pas quel peut être mon crime ; j'ai mis cinq beaux enfants au monde, au péril de ma vie, je les ai nourris de mon lait, je les ai soutenus de mon travail ; et j'aurais fait davantage pour eux, si je n'avais pas payé des amendes qui m'en ont ôté les moyens. Est-ce un crime d'augmenter les sujets de Sa Majesté dans une nouvelle contrée qui manque d'habitants ? Je n'ai enlevé aucun mari à sa femme, ni débauché aucun jeune homme ; jamais on ne m'a accusé de ces procédés coupables, et si quelqu'un se plaint de moi, ce ne peut être que le ministre à qui je n'ai point payé de droits

---

1. *Je ne me flatte pas* : je n'attends pas, je n'espère pas.
2. *Que je parais* : que je comparais.
3. *On les abroge* : on les supprime.
4. *Je ne conçois pas* : je ne comprends pas.

de mariage[1]. Mais est-ce ma faute ? J'en appelle à vous, Messieurs ; vous me supposez sûrement assez de bon sens pour être persuadés que je préférerais l'honorable état de femme à la condition honteuse dans laquelle j'ai vécu jusqu'à présent. J'ai toujours désiré et je désire encore de me marier, et je ne crains point de dire que j'aurais la bonne conduite, l'industrie[2] et l'économie[3] convenables à une femme, comme j'en ai la fécondité. Je défie qui que ce soit de dire que j'aie refusé de m'engager dans cet état. Je consentis à la première et seule proposition qui m'en ait été faite ; j'étais vierge encore ; j'eus la simplicité[4] de confier mon honneur à un homme qui n'en avait point ; il me fit mon premier enfant et m'abandonna. Cet homme, vous le connaissez tous ; il est actuellement magistrat comme vous et s'assied à vos côtés ; j'avais espéré qu'il paraîtrait aujourd'hui au tribunal et qu'il aurait intéressé votre pitié en ma faveur, en faveur d'une malheureuse qui ne l'est que par lui ; alors j'aurais été incapable de l'exposer à rougir en rappelant ce qui s'est passé entre nous. Ai-je tort de me plaindre aujourd'hui de l'injustice des lois ? La première cause de mes égarements, mon séducteur, est élevé au pouvoir et aux honneurs par ce même gouvernement qui punit mes malheurs par le fouet et par l'infamie[5]. On me répondra que j'ai transgressé les préceptes de la religion ; si mon offense est contre Dieu, laissez-lui le soin de m'en punir ; vous m'avez déjà exclue de la communion de l'Église, cela ne suffit-il pas ? Pourquoi au supplice de l'enfer, que vous croyez m'attendre dans l'autre monde, ajoutez-vous dans celui-ci les amendes et le fouet ? Pardonnez, Messieurs, ces réflexions ; je

---

1. *Droits de mariage* : sous l'Ancien Régime, taxe dont devaient s'acquitter les femmes lorsqu'elles se mariaient.

2. *Industrie* : activité, application au travail.

3. *Économie* : organisation, intendance.

4. *Simplicité* : naïveté.

5. *Infamie* : déshonneur.

445 ne suis point un théologien[1], mais j'ai peine à croire que ce
me soit un grand crime d'avoir donné le jour à de beaux
enfants que Dieu a doués d'âmes immortelles et qui l'adorent.
Si vous faites des lois qui changent la nature des actions et en
font des crimes, faites-en contre les célibataires dont le
450 nombre augmente tous les jours, qui portent la séduction et
l'opprobre[2] dans les familles, qui trompent les jeunes filles
comme je l'ai été, et qui les forcent à vivre dans l'état honteux
dans lequel je vis au milieu d'une société qui les repousse et
qui les méprise. Ce sont eux qui troublent la tranquillité
455 publique ; voilà des crimes qui méritent plus que le mien l'animadversion[3] des lois. »
Ce discours singulier produisit l'effet qu'en attendait Miss
Baker ; ses juges lui remirent[4] l'amende et la peine qui en
tient lieu. Son séducteur, instruit de ce qui s'était passé, sentit
460 le remords de sa première conduite ; il voulut la réparer ; deux
jours après il épousa Miss Baker, et fit une honnête femme de
celle dont cinq ans auparavant il avait fait une fille publique[5].

A. – Et ce n'est pas là un conte de votre invention ?

B. – Non.

465 A. – J'en suis bien aise.

B. – Je ne sais si l'abbé Raynal[6] ne rapporte pas le fait et le
discours dans son *Histoire du commerce des deux Indes*.

---

1. *Théologien* : personne qui enseigne la religion.
2. *Opprobre* : honte.
3. *Animadversion* : châtiment.
4. *Remirent* : épargnèrent.
5. *Fille publique* : prostituée.
6. L'abbé Guillaume Thomas Raynal (1713-1796) était aussi historien et
philosophe. Dans son *Histoire des deux Indes* (voir dossier, p. 110), ouvrage
à la rédaction duquel Diderot participa, il introduisit le conte de Polly Baker
pour dénoncer la sévérité des lois de la Nouvelle-Angleterre (voir encadré
p. 73).

un cas similaire est possible ↗

Polly Baker

L'histoire de Polly Baker paraît pour la première fois en 1747 à Londres dans un périodique, le *General Advertiser*. Bien que présentée comme vraie, cette histoire est <u>une mystification montée</u> de toutes pièces <u>par Benjamin Franklin</u> (homme politique, mémorialiste, pamphlétaire et physicien américain ; 1706-1790). En 1770, l'abbé Raynal (voir note 6, p. 72, et dossier, p. 110) la traduit et l'insère dans la première édition de son *Histoire des deux Indes*, pour dénoncer l'extrême sévérité des lois à l'égard des femmes et des célibataires en Nouvelle-Angleterre. Diderot reprend cette traduction pour la deuxième édition de l'*Histoire des deux Indes*, en 1774, et, afin de conférer plus de force à la critique des institutions américaines que développe le récit, il en retranche les passages relatifs aux célibataires. Ensuite, en 1780, pour la troisième édition de l'ouvrage, il se permet, comme à son habitude, plusieurs infidélités par rapport au texte original.

L'histoire de Polly Baker appartient à la lignée de celles, plus ou moins longues, que Diderot se plaît à insérer dans ses dialogues ou dans ses récits. ■

A. – Ouvrage excellent et d'un ton si différent des précédents qu'on a soupçonné l'abbé d'y avoir employé des mains étrangères.

B. – C'est une injustice.

A. – Ou une méchanceté. On dépèce le laurier qui ceint la tête d'un grand homme et on le dépèce si bien qu'il ne lui en reste plus qu'une feuille.

B. – Mais le temps rassemble les feuilles éparses et refait la couronne.

A. – Mais l'homme est mort ; il a souffert de l'injure qu'il a reçue de ses contemporains, et il est insensible à la réparation qu'il obtient de la postérité.

4

Suite de l'entretien
de l'aumônier
avec l'habitant de Tahiti

OROU

L'heureux moment pour une jeune fille et pour ses parents, que celui où sa grossesse est constatée! Elle se lève; elle accourt; elle jette ses bras autour du cou de sa mère et de son père; c'est avec des transports d'une joie mutuelle[1], qu'elle leur annonce et qu'ils 5 apprennent cet événement. «Maman! mon papa! embrassez-moi: je suis grosse[2]! – Est-il bien vrai? – Très vrai. – Et de qui l'êtes-vous? – Je le suis d'un tel.»

L'AUMÔNIER

Comment peut-elle nommer le père de son enfant?

OROU

Pourquoi veux-tu qu'elle l'ignore? Il en est de la durée de nos 10 amours comme de celle de nos mariages; elle est au moins d'une lune à la lune suivante[3].

---

1. *Joie mutuelle* : joie partagée.
2. *Grosse* : voir note 6, p. 65.
3. *D'une lune à la lune suivante* : voir note 5, p. 65.

L'AUMÔNIER

Et cette règle est bien scrupuleusement observée ?

OROU

Tu vas en juger. D'abord, l'intervalle de deux lunes n'est pas long ; mais lorsque deux pères ont une prétention bien fondée à la formation d'un enfant, il n'appartient plus à sa mère.

L'AUMÔNIER

À qui appartient-il donc ?

OROU

À celui des deux à qui il lui plaît de le donner : voilà tout son privilège ; et un enfant étant par lui-même un objet d'intérêt et de richesse, tu conçois que, parmi nous, les libertines [1] sont rares, et que les jeunes garçons s'en éloignent.

L'AUMÔNIER

Vous avez donc aussi vos libertines ? J'en suis bien aise [2].

OROU

Nous en avons même de plus d'une sorte : mais tu m'écartes de mon sujet. Lorsqu'une de nos filles est grosse, si le père de l'enfant est un jeune homme beau, bien fait, brave, intelligent et laborieux, l'espérance que l'enfant héritera des vertus de son père renouvelle l'allégresse. Notre enfant n'a honte que d'un mauvais choix. Tu dois concevoir quel prix nous attachons à la santé, à la beauté, à la force, à l'industrie [3], au courage ; tu dois concevoir comment, sans que nous nous en mêlions, les prérogatives [4] du sang doivent s'éterniser parmi nous. Toi qui as parcouru différentes contrées, dis-moi si tu as remarqué dans

---

1. **Libertines** : ici, celles dont les relations sexuelles ne donnent pas lieu à une naissance.
2. **J'en suis bien aise** : j'en suis heureux.
3. **Industrie** : ici, ingéniosité.
4. **Prérogatives** : privilèges.

aucune autant de beaux hommes et autant de belles femmes que dans Tahiti ! Regarde-moi : comment me trouves-tu ? Eh bien ! il y a dix mille hommes ici plus grands, aussi robustes ; mais pas un
35 plus brave que moi ; aussi les mères me désignent-elles souvent à leurs filles.

L'AUMÔNIER

Mais de tous ces enfants que tu peux avoir faits hors de ta cabane, que t'en revient-il ?

OROU

Le quatrième, mâle ou femelle. Il s'est établi parmi nous une
40 circulation d'hommes, de femmes et d'enfants, ou de bras de tout âge et de toute fonction, qui est bien d'une autre importance que celle de vos denrées qui n'en sont que le produit.

L'AUMÔNIER

veil

Je le conçois. Qu'est-ce que c'est que ces voiles noirs que j'ai rencontrés quelquefois ?

OROU

45 Le signe de la stérilité, vice de naissance, ou suite de l'âge avancé. Celle qui quitte ce voile, et se mêle avec les hommes, est une libertine, celui qui relève ce voile, et s'approche de la femme stérile, est un libertin.

assez extrême

L'AUMÔNIER

Et ces voiles gris ?

OROU

50 Le signe de la maladie périodique[1]. Celle qui quitte ce voile, et se mêle avec les hommes, est une libertine, celui qui le relève, et s'approche de la femme malade, est un libertin.

---

1. ***Maladie périodique*** : menstruation.

Avez-vous des châtiments pour ce libertinage ?

OROU

Point d'autres que le blâme. *(par la publique)*

L'AUMÔNIER

55 ⌐Un père peut-il coucher avec sa fille, une mère avec son fils, un frère avec sa sœur, un mari avec la femme d'un autre ?

OROU

Pourquoi non ?

L'AUMÔNIER

Passe pour la fornication [1] ; mais l'inceste, mais l'adultère !

OROU

Qu'est ce que tu veux dire avec tes mots, «fornication», 60 «inceste», «adultère» ?

L'AUMÔNIER

Des crimes, des crimes énormes, pour l'un desquels l'on brûle dans mon pays. *↳ l'inceste*

la différence entre les sociétés

OROU

moral Qu'on brûle ou qu'on ne brûle pas dans ton pays, peu m'importe. Mais tu n'accuseras pas les mœurs d'Europe par celles de 65 Tahiti, ni par conséquent les mœurs de Tahiti par celles de ton pays : il nous faut une règle plus sûre ; et quelle sera cette règle ? En connais-tu une autre que le bien général et l'utilité particulière ? À présent, dis-moi ce que ton crime *inceste* a de contraire à ces deux fins de nos actions ? Tu te trompes, mon ami, si tu crois qu'une loi

raison pour le "crime"

---

1. Fornication : union charnelle de personnes non mariées. «Péché de luxure. Ceux qui commettent les péchés de fornication, d'adultère, de mollesse n'entreront point au Royaume des Cieux, dit St Paul» (dictionnaire Furetière, 1690).

social welfare

→ n'est pas juger entre les deux { *absolutisme* / *relativisme* }

disgraceful

70 une fois publiée, un mot ignominieux[1] inventé, un supplice décerné[2], tout est dit. Réponds-moi donc, qu'entends-tu par *inceste* ?

L'AUMÔNIER

Mais un *inceste*…

OROU

Un *inceste* ?… Y a-t-il longtemps que ton grand ouvrier sans 75 tête, sans mains et sans outils, a fait le monde ?

L'AUMÔNIER

Non.

OROU

Fit-il toute l'espèce humaine à la fois ?

L'AUMÔNIER

Non. Il créa seulement une femme et un homme.

OROU

Eurent-ils des enfants ?

L'AUMÔNIER

80 Assurément.

OROU

Supposons que ces deux premiers parents n'aient eu que des filles, et que leur mère soit morte la première ; ou qu'ils n'aient eu que des garçons, et que la femme ait perdu son mari.

L'AUMÔNIER   _un vrai commentaire_

Tu m'embarrasses ; mais tu as beau dire, l'*inceste* est un crime 85 abominable, et parlons d'autre chose.

aide la commentaire

du inceste

---

1. *Ignominieux* : infâme.
2. *Décerné* : ici, juridiquement ordonné.

OROU

Cela te plaît à dire ; je me tais, moi, tant que tu ne m'auras pas dit ce que c'est que le crime abominable *inceste*.

L'AUMÔNIER

Eh bien ! je t'accorde que peut-être l'*inceste* ne blesse en rien[1] la nature ; mais ne suffit-il pas qu'il menace la constitution poli-
90 tique ? Que deviendraient la sûreté d'un chef et la tranquillité d'un État, si toute une nation composée de plusieurs millions d'hommes, se trouvait rassemblée autour d'une cinquantaine de pères de famille.

OROU

Le pis-aller, c'est qu'où il n'y a qu'une grande société, il y en
95 aurait cinquante petites[2], plus de bonheur et un crime de moins.

L'AUMÔNIER

Je crois cependant que, même ici, un fils couche rarement avec sa mère.

OROU

À moins qu'il n'ait beaucoup de respect pour elle, et une ten-dresse qui lui fasse oublier la disparité[3] d'âge, et préférer une
100 femme de quarante ans à une fille de dix-neuf.

L'AUMÔNIER

Et le commerce[4] des pères avec leurs filles ?

Hardly

OROU

Guère plus fréquent, à moins que la fille ne soit laide et peu recherchée. Si son père l'aime, il s'occupe à lui préparer sa dot en enfants.

---

1. *Ne blesse en rien* : ne va pas contre.
2. Le pire serait que, là où il n'y a qu'une grande société, il y en ait cinquante petites.
3. *La disparité* : la différence.
4. *Le commerce* : les relations.

105 Cela me fait imaginer que le sort des femmes que la nature a
disgraciées ne doit pas être heureux dans Tahiti.

OROU

Cela me prouve que tu n'as pas une haute opinion de la
générosité[1] de nos jeunes gens.

L'AUMÔNIER

Pour les unions des frères et des sœurs, je ne doute pas qu'elles
110 ne soient très communes.

OROU

Et très approuvées.

L'AUMÔNIER

À t'entendre, cette passion, qui produit tant de crimes et de
maux dans nos contrées, serait ici tout à fait innocente.

OROU

Étranger! tu manques de jugement et de mémoire: de juge-
115 ment, car, partout où il y a défense, il faut qu'on soit tenté de
faire la chose défendue et qu'on la fasse: de mémoire, puisque tu
ne te souviens plus de ce que je t'ai dit. Nous avons de vieilles
dissolues[2], qui sortent la nuit sans leur voile noir, et reçoivent des
hommes, lorsqu'il ne peut rien résulter de leur approche; si elles
120 sont reconnues ou surprises, l'exil au nord de l'île, ou l'esclavage,
est leur châtiment; des filles précoces, qui relèvent leur voile
blanc à l'insu de leurs parents, et nous avons pour elles un lieu
fermé dans la cabane; des jeunes hommes, qui déposent leur
chaîne avant le temps prescrit par la nature et par la loi (et nous
125 en réprimandons leurs parents); des femmes à qui le temps de la
grossesse paraît long; des femmes et des filles peu scrupuleuses à
garder leur voile gris; mais dans le fait, nous n'attachons pas une

Prémature ?

---

1. *Générosité*: «grandeur d'âme» (dictionnaire Furetière, 1690).
2. *Dissolues*: aux mœurs relâchées.

grande importance à toutes ces fautes ; et tu ne saurais croire combien l'idée de richesse particulière ou publique, unie dans
130 nos têtes à l'idée de population, épure nos mœurs sur ce point.

refine

L'AUMÔNIER

La passion [1] de deux hommes pour une même femme, ou le goût de deux femmes ou de deux filles pour un même homme, n'occasionnent-ils point de désordres ?

OROU

Je n'en ai pas vu quatre exemples : le choix de la femme ou
135 celui de l'homme finit tout [2]. La violence d'un homme serait une faute grave ; mais il faut une plainte publique, et il est presque inouï qu'une fille ou qu'une femme se soit plainte. La seule chose que j'aie remarquée, c'est que nos femmes ont moins de pitié des hommes laids, que nos jeunes gens des femmes disgraciées ; et
140 nous n'en sommes pas fâchés.

L'AUMÔNIER

Vous ne connaissez guère la jalousie, à ce que je vois ; mais la tendresse maritale, l'amour paternel, ces deux sentiments si puissants et si doux, s'ils ne sont pas étrangers ici, y doivent être assez faibles.

OROU

Nous y avons suppléé [3] par un autre, qui est tout autrement
145 général [4], énergique et durable, l'intérêt. Mets la main sur la conscience ; laisse là cette fanfaronnade de vertu, qui est sans cesse sur les lèvres de tes camarades, et qui ne réside pas dans le fond de leur cœur. Dis-moi si, dans quelque contrée que ce soit, il y a un père, qui sans la honte qui le retient, n'aimât mieux perdre
150 son enfant, un mari qui n'aimât mieux perdre sa femme, que sa

---

1. *Passion* : attachement, inclination.
2. *Finit tout* : met fin à toute querelle.
3. *Nous y avons suppléé* : nous les avons remplacés.
4. *Qui est tout autrement général* : qui concerne davantage l'intérêt général.

fortune et l'aisance de toute sa vie. Sois sûr que partout où l'homme sera attaché à la conservation de son semblable comme à son lit, à sa santé, à son repos, à sa cabane, à ses fruits, à ses champs, il fera pour lui tout ce qu'il est possible de faire. C'est ici
155 que les pleurs trempent la couche d'un enfant qui souffre ; c'est ici que les mères sont soignées dans la maladie ; c'est ici qu'on prise[1] une femme féconde, une fille nubile[2], un garçon adolescent ; c'est ici qu'on s'occupe de leur institution[3], parce que leur conservation est toujours un accroissement, et leur perte toujours
160 une diminution de fortune.

L'AUMÔNIER

Je crains bien que ce sauvage n'ait raison. Le paysan misérable de nos contrées, qui excède[4] sa femme pour soulager son cheval, laisse périr son enfant sans secours, et appelle le médecin pour son bœuf.

OROU

Je n'entends pas trop ce que tu viens de dire ; mais, à ton retour
165 dans ta patrie si policée[5], tâche d'y introduire ce ressort ; et c'est alors qu'on y sentira le prix de l'enfant qui naît, et l'importance de la population. Veux-tu que je te révèle un secret ? Mais prends garde qu'il ne t'échappe. Vous arrivez : nous vous abandonnons nos femmes et nos filles ; vous vous en étonnez ; vous nous en
170 témoignez une gratitude qui nous fait rire ; vous nous remerciez, lorsque nous asseyons sur toi et sur tes compagnons la plus forte de toutes les impositions. Nous ne t'avons point demandé d'argent ; nous ne nous sommes point jetés sur tes marchandises ; nous avons méprisé tes denrées : mais nos femmes et nos filles
175 sont venues exprimer[6] le sang de tes veines. Quand tu

---

1. *On prise* : on accorde du prix à, on apprécie.
2. *Nubile* : voir note 5, p. 45.
3. *Institution* : établissement, installation.
4. *Excède* : maltraite.
5. *Policée* : civilisée, raffinée.
6. *Exprimer* : faire sortir.

t'éloigneras, tu nous auras laissé des enfants : ce tribut levé sur ta personne, sur ta propre substance, à ton avis, n'en vaut pas bien un autre ? Et si tu veux en apprécier la valeur, imagine que tu aies deux cents lieues[1] de côtes à courir, et qu'à chaque vingt milles[2]

180 on te mette à pareille contribution. Nous avons des terres immenses en friche ; nous manquons de bras ; et nous t'en avons demandé. Nous avons des calamités épidémiques à réparer ; et nous t'avons employé à réparer le vide qu'elles laisseront. Nous avons des ennemis voisins à combattre, un besoin de soldats ; et

185 nous t'avons prié de nous en faire : le nombre de nos femmes et de nos filles est trop grand pour celui des hommes ; et nous t'avons associé à notre tâche. Parmi ces femmes et ces filles, il y en a dont nous n'avons jamais pu obtenir d'enfants ; et ce sont celles que nous avons exposées à vos premiers embrassements.

190 Nous avons à payer une redevance[3] en hommes à un voisin oppresseur ; c'est toi et tes camarades qui nous défrayerez[4] ; et dans cinq à six ans, nous lui enverrons vos fils, s'ils valent moins que les nôtres. Plus robustes, plus sains que vous, nous nous sommes aperçus au premier coup d'œil que vous nous surpassiez

195 en intelligence ; et, sur-le-champ, nous avons destiné quelques-unes de nos femmes et de nos filles les plus belles à recueillir la semence d'une race meilleure que la nôtre. C'est un essai que nous avons tenté, et qui pourra nous réussir. Nous avons tiré de toi et des tiens le seul parti que nous en pouvions tirer : et crois

200 que, tout sauvages que nous sommes, nous savons aussi calculer. Va où tu voudras ; et tu trouveras presque toujours l'homme aussi fin que toi. Il ne te donnera jamais que ce qui ne lui est bon

---

1. *Deux cents lieues* : environ 800 km.

2. *Vingt milles* : environ 37 km ; le mille est une unité de mesure de distance équivalant à environ 1 852 m.

3. *Une redevance* : somme qui doit être réglée à échéances déterminées ; elle « se paie traditionnellement en argent, en grains, en corvées, en offices personnels » (dictionnaire Furetière, 1690).

4. *Nous défrayerez* : paierez ce qui nous est dû.

à rien, et te demandera toujours ce qui lui est utile. S'il te présente un morceau d'or pour un morceau de fer, c'est qu'il ne fait aucun
205 cas de l'or, et qu'il prise le fer. Mais dis-moi donc pourquoi tu n'es pas vêtu comme les autres ? Que signifie cette casaque[1] longue qui t'enveloppe de la tête aux pieds, et ce sac pointu que tu laisses tomber sur tes épaules, ou que tu ramènes sur tes oreilles ?

L'AUMÔNIER

210 C'est que, tel que tu me vois, je me suis engagé dans une société d'hommes qu'on appelle, dans mon pays, des moines. Le plus sacré de leurs vœux est de n'approcher d'aucune femme, et de ne point faire d'enfants.

OROU

Que faites-vous donc ?

L'AUMÔNIER

215 Rien.

OROU

Et ton magistrat souffre cette espèce de paresseux, la pire de toutes ?

L'AUMÔNIER

Il fait plus ; il la respecte et la fait respecter.

OROU

Ma première pensée était que la nature, quelque accident, ou
220 un art cruel[2] vous avait privés de la faculté de produire votre semblable ; et que, par pitié, on aimait mieux vous laisser vivre que de vous tuer. Mais, moine, ma fille m'a dit que tu étais un homme, et un homme aussi robuste qu'un Tahitien, et qu'elle espérait que tes caresses réitérées ne seraient pas infructueuses. À

---

1. **Casaque** : vêtement à larges manches.
2. **Un art cruel** : métaphore désignant la pratique de la castration.

225 présent que j'ai compris pourquoi tu t'es écrié hier au soir : «Mais
ma religion ! mais mon état ! », pourrais-tu m'apprendre le motif
de la faveur et du respect que les magistrats vous accordent ?

L'AUMÔNIER

Je l'ignore.

OROU

Tu sais au moins par quelle raison, étant homme, tu t'es libre-
230 ment condamné à ne le pas être ?

L'AUMÔNIER

Cela serait trop long et trop difficile à t'expliquer.

OROU

Et ce vœu de stérilité, le moine y est-il bien fidèle ?

L'AUMÔNIER

Non.

OROU

J'en étais sûr. Avez-vous aussi des moines femelles ?

L'AUMÔNIER

235 Oui.

OROU

Aussi sages que les moines mâles ?

L'AUMÔNIER

Plus renfermées, elles sèchent de douleur, périssent d'ennui.

OROU

Et l'injure faite à la nature est vengée. Oh, le vilain pays ! Si
tout y est ordonné[1] comme ce que tu m'en dis, vous êtes plus
240 barbares[2] que nous.

---

1. *Tout y est ordonné* : tout y est organisé.
2. *Barbares* : «Impitoyable[s], qui n'écoute[nt] point la pitié, ni la raison»
(dictionnaire Furetière, 1690).

Le bon aumônier raconte qu'il passa le reste de la journée à parcourir l'île, à visiter les cabanes, et que le soir, après souper, le père et la mère l'ayant supplié de coucher avec la seconde de leurs filles, Palli s'était présentée dans le même déshabillé que Thia, et qu'il s'était écrié plusieurs fois pendant la nuit : « Mais ma religion ! mais mon état ! », que la troisième nuit il avait été agité des mêmes remords avec Asto l'aînée, et que la quatrième il l'avait accordée par honnêteté [1] à la femme de son hôte.

1. *Honnêteté* : respect, égard, estime.

5

Suite du dialogue entre A et B

A. – J'estime[1] cet aumônier poli.

B. – Et moi, beaucoup davantage les mœurs des Tahitiens, et le discours d'Orou.

A. – Quoique un peu modelé à l'européenne.

5 B. – Je n'en doute pas. – Ici le bon aumônier se plaint de la brièveté de son séjour dans Tahiti, et de la difficulté de mieux connaître les usages d'un peuple assez sage pour s'être arrêté de lui-même à la médiocrité, ou assez heureux[2] pour habiter un climat dont la fertilité lui assurait un long engourdissement,
10 assez actif pour s'être mis à l'abri des besoins absolus de la vie, et assez indolent[3] pour que son innocence, son repos et sa félicité[4] n'eussent rien à redouter d'un progrès trop rapide de ses lumières. Rien n'y était mal par l'opinion ou par la loi, que ce qui était mal de sa nature[5]. Les travaux et les récoltes s'y
15 faisaient en commun. L'acception[6] du mot « propriété » y était

---

1. **J'estime** : j'apprécie.
2. **Heureux** : chanceux ; « À qui le hasard est favorable » (dictionnaire Furetière, 1690).
3. **Indolent** : nonchalant.
4. **Sa félicité** : son bonheur.
5. Rien n'y était mal au regard de l'opinion ou de la loi ; seul ce qui était contraire à la nature était mal.
6. **L'acception** : la signification.

très étroite[1] ; la passion de l'amour, réduite à un simple appétit physique, n'y produisait aucun de nos désordres. L'île entière offrait l'image d'une seule famille nombreuse, dont chaque cabane représentait les divers appartements d'une de 20 nos grandes maisons. Il finit par protester que ces Tahitiens seront toujours présents à sa mémoire, qu'il avait été tenté de *tried* jeter ses vêtements dans le vaisseau et de passer le reste de ses *vessel* jours parmi eux, et qu'il craint bien de se repentir plus d'une fois de ne l'avoir pas fait. *express remorse*

praise *point de vue Européen*
25 A. – Malgré cet éloge, quelles conséquences utiles à tirer des mœurs et des usages bizarres d'un peuple non civilisé ?

B. – Je vois qu'aussitôt que quelques causes physiques, telles, par exemple, que la nécessité de vaincre l'ingratitude[2] du sol, ont *vanquish* mis en jeu la sagacité[3] de l'homme, cet élan le conduit bien 30 au-delà du but, et que, le terme du besoin passé[4], on est porté dans l'océan sans bornes des fantaisies, d'où l'on ne se tire plus. Puisse l'heureux Tahitien s'arrêter où il en est ! Je vois qu'excepté dans ce recoin écarté de notre globe, il n'y a point eu de mœurs, et qu'il n'y en aura peut-être jamais nulle part.

35 A. – Qu'entendez-vous donc par des mœurs ?

submission
B. – J'entends une soumission générale et une conduite consé-quente à des lois bonnes ou mauvaises. Si les lois sont bonnes, les mœurs sont bonnes ; si les lois sont mauvaises, les mœurs sont mauvaises ; si les lois, bonnes ou mauvaises, 40 ne sont point observées[5], la pire condition d'une société, il n'y a point de mœurs. Or comment voulez-vous que des lois s'observent quand elles se contredisent ? Parcourez l'histoire

---

1. *Étroite* : rigoureuse, stricte.
2. *L'ingratitude* : l'infertilité.
3. *Sagacité* : finesse d'esprit.
4. *Le terme du besoin passé* : le besoin dépassé, c'est-à-dire assouvi, comblé.
5. *Observées* : respectées.

des siècles et des nations tant anciennes que modernes, et vous trouverez les hommes assujettis à trois codes, le code de la nature, le code civil, et le code religieux, et contraints d'enfreindre alternativement ces trois codes qui n'ont jamais été d'accord ; d'où il est arrivé qu'il n'y a eu dans aucune contrée, comme Orou l'a deviné de la nôtre, ni homme, ni citoyen, ni religieux.

A. – D'où vous conclurez, sans doute, qu'en fondant la morale sur les rapports éternels, qui subsistent entre les hommes, la loi religieuse devient peut-être superflue ; et que la loi civile ne doit être que l'énonciation [1] de la loi de nature.

B. – Et cela, sous peine de multiplier les méchants, au lieu de faire des bons.

A. – Ou que, si l'on juge nécessaire de les conserver toutes trois, il faut que les deux dernières ne soient que des calques rigoureux de la première, que nous apportons gravée au fond de nos cœurs, et qui sera toujours la plus forte.

B. – Cela n'est pas exact. Nous n'apportons en naissant qu'une similitude d'organisation avec d'autres êtres, les mêmes besoins, de l'attrait vers les mêmes plaisirs, une aversion commune [2] pour les mêmes peines : ce qui constitue l'homme ce qu'il est, et doit fonder la morale qui lui convient.

A. – Cela n'est pas aisé.

B. – Cela n'est pas si difficile, que je croirais volontiers le peuple le plus sauvage de la terre, le Tahitien qui s'en est tenu scrupuleusement à la loi de nature, plus voisin d'une bonne législation qu'aucun peuple civilisé.

---

1. *L'énonciation de* : l'expression de.
2. *Une aversion commune* : un même mépris.

70 **A.** – Parce qu'il lui est plus facile de se défaire de son trop de rusticité[1], qu'à nous de revenir sur nos pas et de réformer nos abus.

abuse / misuse

B. – Surtout ceux qui tiennent à l'union de l'homme avec la femme.

75 **A.** – Cela se peut. Mais commençons par le commencement. Interrogeons bonnement la nature, et voyons sans partialité[2] ce qu'elle nous répondra sur ce point.

question

breakdown

B. – J'y consens.

A. – Le mariage est-il dans la nature ?

80 **B.** – Si vous entendez par le mariage la préférence qu'une femelle accorde à un mâle sur tous les autres mâles, ou celle qu'un mâle donne à une femelle sur toutes les autres femelles ; préférence mutuelle, en conséquence de laquelle il se forme une union plus ou moins durable, qui perpétue l'espèce par la reproduc-
85 tion des individus, le mariage est dans la nature.

A. – Je le pense comme vous ; car cette préférence se remarque non seulement dans l'espèce humaine, mais encore dans les autres espèces d'animaux : témoin ce nombreux cortège de mâles qui poursuivent une même femelle au printemps dans
90 nos campagnes, et dont un seul obtient le titre de mari. Et la galanterie ?

pursue

courtship

B. – Si vous entendez par galanterie cette variété de moyens énergiques ou délicats que la passion inspire, soit au mâle, soit à la femelle, pour obtenir cette préférence qui conduit à
95 la plus douce, la plus importante et la plus générale des jouis-sances ; la galanterie est dans la nature.

---

1. *Son trop de rusticité* : son extrême simplicité.
2. *Sans partialité* : sans aucun parti pris.

A. – Je le pense comme vous. Témoin toute cette diversité de gentillesses pratiquées par le mâle pour plaire à la femelle et par la femelle pour irriter [1] la passion et fixer le goût du mâle. Et la coquetterie [2] ?

B. – C'est un mensonge qui consiste à simuler une passion qu'on ne sent pas, et à promettre une préférence qu'on n'accordera point. Le mâle coquet se joue de la femelle ; la femelle coquette se joue du mâle : jeu perfide [3] qui amène quelquefois les catastrophes les plus funestes ; manège ridicule, dont le trompeur et le trompé sont également châtiés par la perte des instants les plus précieux de leur vie.

A. – Ainsi la coquetterie, selon vous, n'est pas dans la nature ?

B. – Je ne dis pas cela.

A. – Et la constance ?

B. – Je ne vous en dirai rien de mieux que ce qu'en a dit Orou à l'aumônier. Pauvre vanité de deux enfants qui s'ignorent eux-mêmes, et que l'ivresse d'un instant aveugle sur l'instabilité de tout ce qui les entoure !

A. – Et la fidélité, ce rare phénomène ?

B. – Presque toujours l'entêtement et le supplice de l'honnête homme et de l'honnête femme dans nos contrées ; chimère [4] à Tahiti.

A. – La jalousie ?

---

1. **Irriter** : enflammer, exciter.
2. **Coquetterie** : « Affectation de plaire pour se faire aimer. On soupçonne aisément les femmes qui ont de la coquetterie d'être peu fidèles à leurs maris » (dictionnaire Furetière, 1690).
3. **Perfide** : trompeur, déloyal.
4. **Chimère** : illusion.

120 B. – Passion d'un animal indigent[1] et avare qui craint de manquer ; sentiment injuste de l'homme ; conséquence de nos
fausses mœurs, et d'un droit de propriété étendu sur un objet
sentant, pensant, voulant, et libre.

A. – Ainsi la jalousie, selon vous, n'est pas dans la nature ?

125 B. – Je ne dis pas cela. <u>Vices et vertus, tout est également dans la
nature</u>.

A. – Le jaloux est sombre[2].

B. – Comme le tyran, parce qu'il en a la conscience.

A. – La pudeur ?

130 B. – Mais vous m'engagez là dans un cours de morale galante[3].
L'homme ne veut être ni troublé ni distrait dans ses jouis-
sances. Celles de l'amour sont suivies d'une faiblesse qui
l'abandonnerait à la merci de son ennemi. Voilà tout ce qu'il
pourrait y avoir de naturel dans la pudeur : le reste est d'insti-
135 tution. L'aumônier remarque, dans un troisième morceau que
je ne vous ai point lu, que le Tahitien ne rougit pas des
mouvements involontaires qui s'excitent en lui à côté de sa
femme, au milieu de ses filles ; et que celles-ci en sont specta-
trices, quelquefois émues, jamais embarrassées. Aussitôt que
140 la femme devint la propriété de l'homme, et que la jouissance
furtive fut regardée comme un vol, on vit naître les termes
« pudeur », « retenue », « bienséance » ; des vertus et des vices
imaginaires ; en un mot, entre les deux sexes, des barrières
qui empêchassent de s'inviter réciproquement à la violation
145 des lois qu'on leur avait imposées, et qui produisirent souvent
un effet contraire, en échauffant l'imagination et en irritant les

---

1. Indigent : pauvre.
2. Sombre : morne.
3. Morale galante : morale amoureuse.

désirs. Lorsque je vois des arbres plantés autour de nos palais, et un vêtement de cou qui cache et montre une partie de la gorge d'une femme, il me semble reconnaître un retour secret vers la forêt, et un appel à la liberté première de notre ancienne demeure. Le Tahitien nous dirait : « Pourquoi te caches-tu ? De quoi es-tu honteux ? Fais-tu le mal, quand tu cèdes à l'impulsion la plus auguste[1] de la nature ? Homme, présente-toi franchement si tu plais. Femme, si cet homme te convient, reçois-le avec la même franchise. »

A. – Ne vous fâchez pas. Si nous débutons comme des hommes civilisés, il est rare que nous ne finissions pas comme le Tahitien.

B. – Oui, mais ces préliminaires de convention consument[2] la moitié de la vie d'un homme de génie.

A. – J'en conviens ; mais qu'importe, ci cet élan pernicieux[3] de l'esprit humain, contre lequel vous vous êtes récrié tout à l'heure, en est d'autant ralenti ? Un philosophe de nos jours, interrogé pourquoi les hommes faisaient la cour aux femmes, et non les femmes la cour aux hommes, répondit qu'il était naturel de demander à celui qui pouvait toujours accorder.

B. – Cette raison m'a paru de tout temps plus ingénieuse que solide. La nature, indécente si vous voulez, presse indistinctement un sexe vers l'autre : et dans un état de l'homme triste et sauvage qui se conçoit et qui peut-être n'existe nulle part...

A. – Pas même à Tahiti ?

B. – Non... l'intervalle qui séparerait un homme d'une femme serait franchi par le plus amoureux. S'ils s'attendent, s'ils se

---

1. *La plus auguste* : la plus vénérable.
2. *Consument* : ruinent, anéantissent.
3. *Pernicieux* : dommageable.

fuient, s'ils se poursuivent, s'ils s'évitent, s'ils s'attaquent, s'ils
175   se défendent, c'est que la passion, inégale dans ses progrès, ne
s'applique pas en eux de la même force. D'où il arrive que la
volupté[1] se répand, se consomme et s'éteint d'un côté, lorsqu'elle commence à peine à s'élever de l'autre, et qu'ils en
restent tristes tous deux. Voilà l'image fidèle de ce qui se passe-
180   rait entre deux êtres libres, jeunes et parfaitement innocents.
Mais lorsque la femme a connu, par l'expérience ou l'éducation, les suites plus ou moins cruelles d'un moment doux,
son cœur frissonne à l'approche de l'homme. Le cœur de
l'homme ne frissonne point ; ses sens commandent, et il obéit.
185   Les sens de la femme s'expliquent, et elle craint de les écouter.
C'est l'affaire de l'homme que de la distraire de sa crainte, de
l'enivrer et de la séduire. L'homme conserve toute son impulsion naturelle vers la femme ; l'impulsion naturelle de la femme
vers l'homme, dirait un géomètre, est en raison composée de
190   la directe de la passion et de l'inverse de la crainte[2] ; raison
qui se complique d'une multitude d'éléments divers dans nos
sociétés ; éléments qui concourent presque tous à accroître la
pusillanimité[3] d'un sexe et la durée de la poursuite de l'autre.
C'est une espèce de tactique où les ressources de la défense et
195   les moyens de l'attaque ont marché sur la même ligne. On a
consacré la résistance de la femme ; on a attaché l'ignominie[4] à
la violence de l'homme ; violence qui ne serait qu'une injure
légère dans Tahiti, et qui devient un crime dans nos cités.

A. – Mais comment est-il arrivé qu'un acte dont le but est si
200   solennel, et auquel la nature nous invite par l'attrait le plus
puissant ; que le plus grand, le plus doux, le plus innocent des

---

1. *Volupté* : plaisir.
2. À l'inverse de celle de l'homme qui ignore la crainte, l'impulsion naturelle de
la femme est un mélange de passion (qui l'entraîne) et de crainte (qui la retient).
3. *Pusillanimité* : «Bassesse d'âme et faiblesse de courage» (dictionnaire
Furetière, 1690).
4. *Ignominie* : infamie.

plaisirs soit devenu la source la plus féconde de notre dépravation [1] et de nos maux [2] ?

B. – Orou l'a fait entendre dix fois à l'aumônier : écoutez-le donc
205   encore, et tâchez de le retenir.

C'est par la tyrannie de l'homme, qui a converti la possession de la femme en une propriété.

Par les mœurs et les usages, qui ont surchargé de conditions l'union conjugale.

210   Par les lois civiles, qui ont assujetti le mariage à une infinité de formalités.

Par la nature de notre société, où la diversité des fortunes et des rangs a institué des convenances et des disconvenances [3].

Par une contradiction bizarre et commune à toutes les sociétés
215   subsistantes, où la naissance d'un enfant, toujours remarquée comme un accroissement de richesse pour la nation, est plus souvent et plus sûrement encore un accroissement d'indigence [4] dans la famille.

Par les vues politiques des souverains, qui ont tout rapporté à
220   leur intérêt et à leur sécurité.

Par les institutions religieuses, qui ont attaché les noms de vices et de vertus à des actions qui n'étaient susceptibles d'aucune moralité.

Combien nous sommes loin de la nature et du bonheur !
225   L'empire [5] de la nature ne peut être détruit : on aura beau le contrarier par des obstacles, il durera. Écrivez tant qu'il vous plaira sur des tables d'airain, pour me servir de l'expression du sage Marc Aurèle [6], que le frottement voluptueux de deux

---

1. *Notre dépravation* : notre avilissement.

2. *Nos maux* : nos malheurs.

3. *Disconvenances* : « différences, inégalités » (*Dictionnaire de l'Académie*, 1762).

4. *Indigence* : extrême pauvreté.

5. *L'empire* : « la puissance » (*Dictionnaire de l'Académie*, 1762).

6. *Marc Aurèle* : empereur et philosophe romain (121-180). Il est l'auteur de *Pensées*, dans lesquelles on trouve l'expression citée (IV, 13).

intestins est un crime, le cœur de l'homme sera froissé entre la
menace de votre inscription et la violence de ses penchants.
Mais ce cœur indocile ne cessera de réclamer ; et cent fois,
dans le cours de la vie, vos caractères effrayants disparaîtront
à nos yeux. Gravez sur le marbre : « Tu ne mangeras ni de
l'ixion, ni du griffon [1] » ; « Tu ne connaîtras que ta femme » ;
« Tu ne seras point le mari de ta sœur » [2] : mais vous n'oublie-
rez pas d'accroître les châtiments à proportion de la bizarrerie
de vos défenses ; vous deviendrez féroces, et vous ne réussirez
point à me dénaturer.

A. – Que le code des nations serait court, si on le conformait
rigoureusement à celui de la nature ! Combien de vices et
d'erreurs épargnés à l'homme !

B. – Voulez-vous savoir l'histoire abrégée de presque toute notre
misère ? La voici. Il existait un homme naturel : on a introduit
au-dedans de cet homme un homme artificiel ; et il s'est élevé
dans la caverne une guerre continuelle qui dure toute la vie.
Tantôt l'homme naturel est plus fort ; tantôt il est terrassé par
l'homme moral et artificiel ; et, dans l'un et l'autre cas, le triste
monstre est tiraillé, tenaillé, tourmenté, étendu sur la roue ;
sans cesse gémissant, sans cesse malheureux, soit qu'un faux
enthousiasme de gloire le transporte et l'enivre, ou qu'une
fausse ignominie le courbe et l'abatte. Cependant il est des
circonstances extrêmes qui ramènent l'homme à sa première
simplicité [3].

A. – La misère et la maladie, deux grands exorcistes.

B. – Vous les avez nommés. En effet, que deviennent alors toutes

---

1. L'ixion et le griffon sont des monstres fabuleux.
2. Ces interdictions figurent dans l'Ancien Testament : la première dans le
Deutéronome (14, 11-13), qui juge impurs le griffon et l'ixion, et les deux
dernières dans le Lévitique (18, 24-29).
3. *Sa première simplicité* : son innocence.

ces vertus conventionnelles [1] ? Dans la misère, l'homme est sans remords ; dans la maladie, la femme est sans pudeur.

A. – Je l'ai remarqué.

B. – Mais un autre phénomène qui ne vous aura pas échappé davantage, c'est que le retour de l'homme artificiel et moral suit pas à pas les progrès de l'état de maladie à l'état de convalescence et de l'état de convalescence à l'état de santé. Le moment où l'infirmité cesse est celui où la guerre intestine [2] recommence, et presque toujours avec désavantage pour l'intrus.

A. – Il est vrai. J'ai moi-même éprouvé [3] que l'homme naturel avait dans la convalescence une vigueur funeste pour l'homme artificiel et moral. Mais enfin, dites-moi, faut-il civiliser l'homme, ou l'abandonner à son instinct ?

B. – Faut-il vous répondre net ?

A. – Sans doute.

B. – Si vous vous proposez d'en être le tyran, civilisez-le ; empoisonnez-le de votre mieux d'une morale contraire à la nature ; faites-lui des entraves de toute espèce ; embarrassez ses mouvements de mille obstacles ; attachez-lui des fantômes qui l'effraient ; éternisez la guerre dans la caverne, et que l'homme naturel y soit toujours enchaîné sous les pieds de l'homme moral. Le voulez-vous heureux et libre ? ne vous mêlez pas de ses affaires : assez d'incidents imprévus le conduiront à la lumière et à la dépravation ; et demeurez à jamais convaincu que ce n'est pas pour vous, mais pour eux, que ces sages législateurs vous ont pétri et maniéré comme vous l'êtes. J'en

---

1. **Conventionnelles** : conformes aux conventions sociales.
2. **La guerre intestine** : la guerre interne.
3. **J'ai moi-même éprouvé** : j'ai moi-même vérifié.

appelle à toutes les institutions politiques, civiles et religieuses : examinez-les profondément ; et je me trompe fort, ou
285 vous y verrez l'espèce humaine pliée de siècle en siècle au
joug qu'une poignée de fripons se promettait de lui imposer.
Méfiez-vous de celui qui veut mettre de l'ordre. Ordonner,
c'est toujours se rendre le maître des autres en les gênant : et
les Calabrais sont presque les seuls à qui la flatterie des
290 législateurs n'en ait point encore imposé[1].

A. – Et cette anarchie de la Calabre vous plaît ?

B. – J'en appelle à l'expérience ; et je gage que leur barbarie est
moins vicieuse que notre urbanité[2]. Combien de petites
scélératesses compensent ici l'atrocité de quelques grands
295 crimes dont on fait tant de bruit ! Je considère les hommes non
civilisés comme une multitude de ressorts épars et isolés. Sans
doute, s'il arrivait à quelques-uns de ces ressorts de se choquer,
l'un ou l'autre, ou tous les deux, se briseraient. Pour obvier[3] à
cet inconvénient, un individu d'une sagesse profonde et d'un
300 génie sublime rassembla ces ressorts et en composa une
machine, et dans cette machine appelée société, tous les ressorts
furent rendus agissants, réagissant les uns contre les autres, sans
cesse fatigués ; et il s'en rompit plus dans un jour, sous l'état de
législation, qu'il ne s'en rompait en un an sous l'anarchie de
305 nature. Mais quel fracas ! quel ravage ! quelle énorme destruction de petits ressorts, lorsque deux, trois, quatre de ces énormes
machines vinrent à se heurter avec violence !

A. – Ainsi vous préféreriez l'état de nature brute et sauvage ?

---

1. Les Calabrais sont les habitants de la Calabre, une région située au sud de
l'Italie. Cette dernière avait mauvaise réputation au XVIIIe siècle. Les Calabrais
passaient pour être des bandits de grand chemin.
2. *Notre urbanité* : notre raffinement.
3. *Pour obvier à* : pour remédier à.

B. – Ma foi, je n'oserais prononcer[1] ; mais je sais qu'on a vu
310 plusieurs fois l'homme des villes se dépouiller[2] et rentrer
dans la forêt, et qu'on n'a jamais vu l'homme de la forêt se
vêtir et s'établir dans la ville.

A. – Il m'est venu souvent dans la pensée que la somme des biens
et des maux était variable pour chaque individu ; mais que le
315 bonheur ou le malheur d'une espèce animale quelconque avait
sa limite qu'elle ne pouvait franchir, et que peut-être nos efforts
nous rendaient en dernier résultat autant d'inconvénient que
d'avantage ; en sorte que nous nous étions bien tourmentés
pour accroître les deux membres d'une équation, entre lesquels
320 il subsistait une éternelle et nécessaire égalité. Cependant je ne
doute pas que la vie moyenne de l'homme civilisé ne soit plus
longue que la vie moyenne de l'homme sauvage.

B. – Et si la durée d'une machine n'est pas une juste mesure de
son plus ou moins de fatigue, qu'en concluez-vous ?

325 A. – Je vois qu'à tout prendre, vous inclineriez[3] à croire les
hommes d'autant plus méchants et plus malheureux qu'ils
sont plus civilisés ?

B. – Je ne parcourrai pas toutes les contrées de l'univers ; mais je
vous avertis seulement que vous ne trouverez la condition de
330 l'homme heureuse que dans Tahiti, et supportable[4] que dans
un recoin de l'Europe. Là, des maîtres ombrageux[5] et jaloux[6]
de leur sécurité se sont occupés à le tenir dans ce que vous
appelez l'abrutissement.

---

1. *Je n'oserais prononcer* : je n'oserais me prononcer.
2. *Se dépouiller* : se séparer de ses biens.
3. *Vous inclineriez* : vous seriez prêt.
4. *Supportable* : acceptable, tolérable.
5. *Ombrageux* : susceptibles.
6. *Jaloux de* : attachés à.

A. – À Venise, peut-être ?

335 B. – Pourquoi non ? Vous ne nierez pas, du moins, qu'il n'y ait nulle part moins de lumières acquises, moins de moralité artificielle, et moins de vices et de vertus chimériques[1].

A. – Je ne m'attendais pas à l'éloge de ce gouvernement.

B. – Aussi ne le fais-je pas. Je vous indique une espèce de 340 dédommagement de la servitude, que tous les voyageurs ont senti et préconisé.

A. – Pauvre dédommagement !

B. – Peut-être. Les Grecs proscrivirent[2] celui qui avait ajouté une corde à la lyre de Mercure[3].

345 A. – Et cette défense est une satire sanglante de leurs premiers législateurs. C'est la première corde qu'il fallait couper.

---

1. À l'époque des grandes découvertes océaniques, Venise perdit beaucoup de sa puissance commerciale. Ses sujets s'étourdirent alors en s'adonnant aux plaisirs et les politiques les laissèrent faire, veillant à les maintenir sous leur coupe pour éviter une remise en cause de leur pouvoir. On peut rapprocher ces lignes d'un court texte de Diderot intitulé « Sur le gouvernement de Venise » (1772) : « Lorsque la découverte du Nouveau Monde et du passage des Indes par le cap de Bonne-Espérance eut ruiné le commerce de la république, [Venise] se vit privée de tout ce qui lui avait donné de la grandeur, de la force, du courage. À ces illusions qui consolaient en quelque sorte ses sujets de la perte de la liberté, fut substituée la séduction des voluptés, des plaisirs et de la mollesse. Les grands se corrompirent comme le peuple, les femmes comme les hommes, les prêtres comme les laïcs ; et la licence ne connut plus de bornes. Venise devint le pays de la terre où il y avait le moins de vices et de vertus factices. »
2. *Proscrivirent* : bannirent.
3. Dans la mythologie romaine, la lyre est l'un des attributs de Mercure (Hermès dans la mythologie grecque) ; elle compte sept cordes. Plutarque (v. 46/49-v. 125), dans son récit de la vie d'Agis, rapporte comment un Spartiate (voir note 2, p. 35) coupa deux des neuf cordes de la lyre de Phrynis, un musicien, afin qu'elle en eût sept comme celle de Mercure (Plutarque, *Vies parallèles*, XI). C'est cette histoire que Diderot adapte ici librement.

B. – Vous m'avez compris. Partout où il y a une lyre, il y a des cordes. Tant que les appétits naturels seront sophistiqués[1], comptez sur des femmes méchantes.

350 A. – Comme la Reymer.

B. – Sur des hommes atroces.

A. – Comme Gardeil.

B. – Et sur des infortunés à propos de rien.

A. – Comme Tanié, mademoiselle de La Chaux, le chevalier
355 Desroches et madame de La Carlière[2]. Il est certain qu'on cher-
cherait inutilement dans Tahiti des exemples de la dépravation
des deux premiers, et du malheur des trois derniers. Que ferons-
nous donc ? Reviendrons-nous à la nature ? Nous soumet-
trons-nous aux lois ?

insane

360 B. – Nous parlerons contre les lois insensées[3] jusqu'à ce qu'on les
réforme ; et, en attendant, nous nous y soumettrons. Celui qui,
to break de son autorité privée, enfreint une loi mauvaise, autorise tout
the law autre à enfreindre les bonnes. Il y a moins d'inconvénients à
être fou avec des fous, qu'à être sage tout seul. Disons-nous à
365 nous-mêmes, crions incessamment qu'on a attaché la honte, le
châtiment et l'ignominie[4] à des actions innocentes en elles-
mêmes ; mais ne les commettons pas, parce que la honte, le
châtiment et l'ignominie sont les plus grands de tous les maux.
Imitons le bon aumônier, moine en France, sauvage dans
370 Tahiti.

---

1. *Sophistiqués* : d'un extrême raffinement.
2. Madame Reymer, Gardeil, Tanié et mademoiselle de La Chaux sont les protagonistes de *Ceci n'est pas un conte*, tandis que madame de La Carlière et Desroches sont les principaux personnages de *Madame de La Carlière*.
3. *Insensées* : dépourvues de sens.
4. *Ignominie* : infamie.

A. – Prendre le froc du pays où l'on va, et garder celui du pays où l'on est.

B. – Et surtout être honnête et sincère jusqu'au scrupule avec des êtres fragiles qui ne peuvent faire notre bonheur, sans renon-
375   cer aux avantages les plus précieux de nos sociétés. Et ce brouillard épais, qu'est-il devenu ?

A. – Il est retombé.

B. – Et nous serons encore libres, cet après-dîner, de sortir ou de rester ?

380 A. – Cela dépendra, je crois, un peu plus des femmes que de nous.

B. – Toujours les femmes ! On ne saurait faire un pas sans les rencontrer à travers son chemin.

A. – Si nous leur lisions l'entretien de l'aumônier et d'Orou ?

385 B. – À votre avis, qu'en diraient-elles ?

A. – Je n'en sais rien.

B. – Et qu'en penseraient-elles ?

A. – Peut-être le contraire de ce qu'elles en diraient.

■ Denis Diderot par Jean Honoré Fragonard (1732-1806).

DOSSIER

- ■ **Au fil du texte...**
- ■ **À vos plumes !**
- ■ **Pistes de recherches**
- ■ **Textes d'accompagnement**

Jugement du *Voyage* de Bougainville

Au fil du texte...

1. Quels rôles sont respectivement dévolus à A et à B ?

2. Quel portrait A brosse-t-il de Bougainville ?

3. Quelles sont, d'après B, les qualités de son *Voyage* ?

4. En quoi, selon B, Bougainville est-il un homme des Lumières ?

5. Quelle remarque B fait-il sur le style de Bougainville ?

6. Quelles sont les « choses singulières » contenues dans le *Voyage* de Bougainville ?

7. Comment l'attitude des jésuites à l'égard des Indiens est-elle décrite par B ?

8. Quel est l'enseignement que B tire des descriptions contradictoires des Patagons livrées par Maty et par La Condamine ?

9. Qu'est-ce qui, selon B, est à l'origine des guerres ?

10. Qu'arrive-t-il à la première Européenne qui vient à la rencontre d'Aotourou ?

11. En quoi la lecture du *Voyage* de Bougainville a-t-elle été décisive pour B ?

12. Comment B juge-t-il la vie sauvage ?

13. Comment la lecture du *Supplément* est-elle introduite ?

14. Quelle réplique remet en question l'authenticité de ce *Supplément* ?

À vos plumes !

« Il ne cessait de soupirer après son pays, et je n'en suis pas étonné » (p. 37)

Imaginez, en une vingtaine de lignes, le discours qu'Aotourou tient à Bougainville.

Pistes de recherches

« A. – Est-ce que vous donneriez dans la fable de Tahiti ? » (p. 40)

Effectuez des recherches sur les voyages de circumnavigation [1] au XVIIIe siècle et sur la naissance du « mythe de Tahiti ». Quand l'île de Tahiti apparaît-elle dans la littérature comme un paradis terrestre ? Comment les mœurs de ses habitants se trouvent-elles idéalisées ?

Texte d'accompagnement

Avant d'être récrit sous la forme d'un dialogue, le texte consacré par Diderot au *Voyage autour du monde* de Bougainville a d'abord eu la forme d'un compte rendu.
Voici un extrait de la glose qu'il présenta à Grimm avec l'espoir de la voir paraître dans la *Correspondance littéraire*.

L'ouvrage est dédié au roi ; il est précédé d'un discours préliminaire où l'auteur rend compte de tous les voyages entrepris autour du globe. M. de Bougainville est le premier Français qui ait tenté cette difficile et périlleuse course. Les jeunes années de M. de Bougainville ont été occupées de l'étude des mathématiques, ce qui suppose une vie sédentaire. On ne conçoit pas trop comment on passe de la tranquillité et du loisir d'une condition méditative et renfermée à l'idée de voyager ; à moins qu'on ne regarde le vaisseau comme une maison flottante où l'homme traverse des espaces immenses, resserré et immobile dans une enceinte très étroite, parcourant les mers sur une planche comme les plages de l'univers sur la terre. Une autre contradiction apparente entre le caractère de M. de Bougainville et son entreprise, c'est son goût pour les amusements de société. Il aime les femmes, les spectacles, les repas délicats ; il vit dans le tourbillon du grand monde auquel il se prête d'aussi bonne grâce qu'aux inconstances de l'élément sur lequel il a été ballotté si longtemps. Il est aimable et gai ; c'est un véritable

---

1. *Circumnavigation* : navigation autour du monde.

Français lesté d'un bord par un *Traité de calcul intégral et différentiel*, de l'autre par un *Voyage autour du monde*. Il était bien pourvu des connaissances nécessaires pour profiter de sa longue tournée ; il a de la philosophie, de la fermeté, du courage, des vues, de la franchise ; le coup d'œil qui saisit le vrai, et abrège le temps des observations, de la circonspection, de la patience, le désir de voir, de s'instruire et d'être utile, des mathématiques, des mécaniques, des connaissances en histoire naturelle, de la géométrie et de l'astronomie.

Comparez cet extrait avec le début du premier chapitre du *Supplément au Voyage de Bougainville*. Observez la manière dont Diderot distribue la parole entre A et B. Qu'apporte à la présentation des idées le recours au dialogue ?

Les adieux du vieillard

Au fil du texte...

1. Que traduit le comportement du vieillard à l'arrivée des Européens ?

2. Comment appelle-t-on le discours qu'il tient à Bougainville et à ses hommes ?

3. Par quelle figure de rhétorique s'ouvre la seconde partie du discours du vieillard ?

4. Une autre figure revient fréquemment dans ce discours : quelle est-elle ?

5. Pour quelles raisons le vieillard demande-t-il à Bougainville et à ses hommes de quitter l'île ?

6. Quelle conception les habitants de Tahiti ont-ils de la notion de propriété ?

7. À quels exemples le vieil indigène a-t-il recours pour soutenir son argumentation ?

8. En quoi les mœurs des Tahitiens sont-elles plus sages que celles des Européens ?

9. Pourquoi les Tahitiens sont-ils maudits depuis le jour où Bougainville a abordé leurs terres ?

10. De quoi Bougainville et ses hommes sont-ils coupables ? Quelles peurs le navigateur a-t-il introduites sur l'île et quelles conséquences cela a-t-il eu sur le comportement des habitants ? Qu'a pu dire l'aumônier aux garçons et aux filles de Tahiti pour les rendre hésitants et honteux ?

11. Quelle est la principale fonction de l'acte sexuel à Tahiti ?

12. Pour quelles raisons un jeune Tahitien a-t-il été tué ? Que cela révèle-t-il sur les Européens ?

13. Pourquoi les Tahitiens ne se sont-ils pas révoltés ? Pourquoi Bougainville et ses hommes ne méritent-ils aucune pitié ?

14. Que souhaite le vieillard pour Bougainville et ses compagnons ?

15. Comment A et B jugent-ils le discours du vieillard ?

16. Quel type de texte va composer la suite du *Supplément* ?

17. Comment B décrit-il l'accueil des Européens par les Tahitiens ? Par quel événement singulier a-t-il été troublé et que peut en déduire le lecteur au sujet des Tahitiens ?

À vos plumes !

Bougainville se défend. En utilisant les procédés d'écriture mis en œuvre par Diderot dans le discours d'adieu prononcé par le vieil indigène, imaginez, en une quarantaine de lignes, la réplique du navigateur.

Pistes de recherches

Effectuez des recherches sur le séjour de Bougainville à Tahiti. Lisez les trois premiers chapitres de la seconde partie de son *Voyage autour du monde*. Relevez les passages qui ont inspiré Diderot. Montrez comment ce dernier les a récrits et quel sens il leur a donné. Vous pourrez présenter le fruit de vos recherches sous la forme d'un tableau.

Texte d'accompagnement

C'est en 1770 que l'abbé Raynal fait paraître la première édition de son *Histoire des deux Indes*[1], qui dénonce les exactions commises par les nations européennes dans les Indes occidentales – les Amériques – et les Indes orientales – l'Asie du Sud-Est. Si l'*Histoire* est d'abord l'œuvre de Raynal, la part prise par ses collaborateurs (parmi lesquels Diderot et d'Holbach[2]) dans les deuxième et troisième éditions (parues respectivement en 1774 et en 1780) n'est pas négligeable. Dans les années 1778-1779, Diderot participe à la rédaction de la troisième publication du volume. L'*Histoire* lui offre l'opportunité de développer des thèses hardies. Alors qu'il travaille sur le *Supplément*, il rédige le texte qui suit pour l'abbé Raynal. Il s'agit du discours fictif – dans la tradition de la harangue – qu'un vieil Hottentot[3] aurait tenu aux siens à l'arrivée des Hollandais sur leurs terres.

Fuyez, malheureux Hottentots, fuyez ! enfoncez-vous dans vos forêts. Les bêtes féroces qui les habitent sont moins redoutables que les monstres sous l'empire desquels vous allez tomber. Le tigre vous déchirera peut-être ; mais il ne vous ôtera que la vie. L'autre vous ravira l'innocence et la liberté. Ou si vous vous en sentez le courage, prenez vos haches, tendez vos arcs, faites pleuvoir sur ces étrangers vos flèches empoisonnées. Puisse-t-il n'en rester aucun pour porter à leurs citoyens la nouvelle de leur désastre !

Mais hélas ! vous êtes sans défiance, et vous ne les connaissez pas. Ils ont la douceur peinte sur leurs visages. Leur maintien promet une affabilité[4] qui vous en imposera. Et comment ne vous tromperait-elle

---

1. Le titre complet de cet ouvrage est : *Histoire philosophique et politique des établissements et du commerce des Européens dans les deux Indes*.
2. *Holbach* (baron d') : philosophe français (1723-1789) qui collabora à l'*Encyclopédie*.
3. *Hottentot* : c'est ainsi que les colons hollandais désignèrent les membres des peuples nomades vivant dans les environs du cap de Bonne-Espérance (dans l'actuelle Afrique du Sud), lorsqu'ils s'installèrent sur ces terres dans la deuxième moitié du XVIIe siècle. Le mot avait alors une connotation péjorative et signifiait « borné », « stupide » ou « bredouilleur ».
4. *Affabilité* : bienveillance.

pas ? C'est un piège pour eux-mêmes. La vérité semble habiter sur leurs lèvres. En vous abordant, ils s'inclineront, ils auront une main placée sur la poitrine. Ils tourneront l'autre vers le ciel ou vous la présenteront avec amitié. Leur geste sera celui de la bienfaisance ; leur regard celui de l'humanité : mais la cruauté, mais la trahison sont au fond de leur cœur. Ils disperseront vos cabanes ; ils se jetteront sur vos troupeaux ; ils corrompront vos femmes ; ils séduiront vos filles.

Ou vous vous plierez à leurs folles opinions, ou ils vous massacreront sans pitié. Ils croient que celui qui ne pense pas comme eux est indigne de vivre. Hâtez-vous donc, embusquez-vous ; et lorsqu'ils se courberont d'une manière suppliante et perfide, percez-leur la poitrine. Ce ne sont pas les représentations de la justice qu'ils n'écoutent pas, ce sont vos flèches qu'il faut leur adresser. Il en est temps ; Riebeeck [1] approche. Celui-ci ne vous fera peut-être pas tout le mal que je vous annonce ; mais cette feinte modération ne sera pas imitée par ceux qui le suivront. Et vous, cruels Européens, ne vous irritez pas de ma harangue. Ni le Hottentot, ni l'habitant des contrées qui vous restent à dévaster ne l'entendront. Si mon discours vous offense, c'est que vous n'êtes pas plus humains que vos prédécesseurs [...].

Comparez cet extrait avec le discours du vieillard. Le conseil que le vieil Hottentot délivre aux siens est-il le même que celui du vieux Tahitien ? Pourquoi ?

---

1. *Van Riebeeck* (1619-1680) : au service de la Compagnie néerlandaise des Indes orientales, il prit possession du cap de Bonne-Espérance en 1652 afin de ravitailler en produits frais les navires hollandais de passage. Contrairement à ses successeurs, il s'efforça d'entretenir des relations cordiales avec les Hottentots. C'est sous son impulsion que ce qui devait n'être qu'une escale est devenue une colonie.

L'Entretien de l'aumônier et d'Orou

Au fil du texte...

1. De quelle manière Orou honore-t-il son hôte ?
2. Pour quelles raisons l'aumônier refuse-t-il la proposition d'Orou ?
3. Pourquoi Orou ne peut-il penser que du mal de la religion de l'aumônier ?
4. Qu'est-ce que Thia attend de lui ? Quelles raisons invoque-t-elle ? Que lui promet-elle ?
5. L'aumônier finit-il par céder à la tentation ? Comment se justifie-t-il ?
6. Comment l'aumônier explique-t-il à Orou ce qu'est la religion ? De quelle manière lui présente-t-il Dieu ? Qu'a-t-il ordonné aux hommes ? Que leur a-t-il défendu ?
7. Qu'est-ce qui interpelle Orou ? Pourquoi estime-t-il que les préceptes divins sont contraires à la nature ?
8. Quelles questions Orou se pose-t-il sur les magistrats et les prêtres ?
9. Comment Orou prouve-t-il à l'aumônier qu'il ne peut pas obéir à la fois au « grand ouvrier », au prêtre et au magistrat ? Qu'en déduit-il ? Selon Orou, que doit faire l'aumônier pour toujours savoir ce qui est bien et ce qui est mal ?
10. Quand, selon Orou, les travers et les vices se sont-ils multipliés ? Selon lui, à quoi ressemble la société dont Bougainville lui a vanté « le bel ordre » ?
11. En quoi consiste le mariage chez les Tahitiens ? Que se passe-t-il lorsque les couples ne s'entendent plus ? Qu'advient-il des enfants ?
12. Que cela révèle-t-il sur la place que les enfants occupent dans la société ? Que représentent-ils pour les Tahitiens ?
13. Quelles sont les femmes qui sont recherchées à Tahiti ? Qu'attendent d'elles les hommes ?
14. Quel lien peut-on établir entre l'entretien de l'aumônier et d'Orou et l'histoire de Polly Baker ?

À vos plumes !

« A. – Qu'est-ce que je vois là en marge ?
B. – C'est une note, où le bon aumônier dit que les préceptes des parents sur le choix des garçons et des filles étaient pleins de bon sens [...]. »

Relisez entièrement la réplique de B (p. 68-69) : en vous appuyant sur les éléments qui y sont contenus, imaginez, en une trentaine de lignes, la note écrite par l'aumônier.

Pistes de recherches

Effectuez des recherches sur les *Dialogues curieux avec un sauvage* (1703) de La Hontan [1], les *Lettres persanes* (1721) de Montesquieu et *L'Ingénu* (1767) de Voltaire. Comparez le regard que portent sur les mœurs européennes le Huron [2] de La Hontan, celui de Voltaire et le Persan de Montesquieu avec le regard du Tahitien de Diderot.

Texte d'accompagnement

C'est en 1767 que Voltaire fait paraître *L'Ingénu*, un conte philosophique dans lequel un jeune homme qui a toujours vécu parmi les Hurons en Amérique découvre la France de Louis XIV. Son arrivée et son séjour en Bretagne d'abord, son combat héroïque contre les Anglais et son emprisonnement à la Bastille ensuite, les circonstances de sa libération et son retour en Bretagne enfin sont autant de péripéties qui offrent à Voltaire l'opportunité de se livrer à une parodie du roman d'apprentissage, du roman sentimental et du drame, tout en réalisant une critique virulente des institutions religieuses et des rouages de l'administration de l'Ancien Régime. L'extrait qui suit appartient au premier chapitre du conte. À peine

---

1. *La Hontan* (baron de) : voyageur et écrivain français (1666-1715). Il débarqua à l'âge de dix-sept ans dans la baie de Québec où il partagea la vie des Indiens et fut immédiatement conquis par les libertés des « sauvages ».
2. *Huron* : Indien d'Amérique du Nord, ainsi nommé par les colons français parce qu'il habitait au nord du lac Huron.

l'Ingénu vient-il de poser le pied en Basse-Bretagne, qu'il se trouve pressé de questions sur ses racines et ses mœurs par « la bonne compagnie du canton », et plus particulièrement par le bailli[1], « le plus grand questionneur de la province ».

L'impitoyable bailli, qui ne pouvait réprimer sa fureur de questionner, poussa enfin la curiosité jusqu'à s'informer de quelle religion était monsieur le Huron ; s'il avait choisi la religion anglicane, ou la gallicane, ou la huguenote[2] ? « Je suis de ma religion, dit-il, comme vous de la vôtre. – Hélas ! s'écria la Kerkabon, je vois bien que ces malheureux Anglais n'ont pas seulement songé à le baptiser. – Eh ! mon Dieu, disait mademoiselle de Saint-Yves, comment se peut-il que les Hurons ne soient pas catholiques ? Est-ce que les RR. PP. jésuites ne les ont pas tous convertis[3] ? » L'Ingénu l'assura que dans son pays on ne convertissait personne ; que jamais un vrai Huron n'avait changé d'opinion, et que même il n'y avait point dans sa langue de terme qui signifiât inconstance. Ces derniers mots plurent extrêmement à mademoiselle de Saint-Yves.

« Nous le baptiserons, nous le baptiserons, disait la Kerkabon à monsieur le prieur[4] ; vous en aurez l'honneur, mon cher frère ; je veux absolument être sa marraine : monsieur l'abbé de Saint-Yves le présentera sur les fonts[5] : ce sera une cérémonie bien brillante ; il en sera parlé dans toute la Basse-Bretagne, et cela nous fera un honneur infini. »

---

1. *Bailli* : agent du roi chargé de fonctions administratives et judiciaires.
2. La religion anglicane est la religion officielle de l'Angleterre, établie à la suite de la rupture de Henry VIII avec Rome en 1534 ; la religion gallicane est une tendance de l'Église catholique de France qui, au XVIIIe siècle, voulut limiter l'influence de la papauté ; la religion huguenote renvoie au protestantisme, qui regroupe l'ensemble des Églises et des communautés chrétiennes issues de la Réforme.
3. Écho de la propagande des jésuites qui exagéraient les succès de leur mission d'évangélisation dans les terres nouvelles.
4. *Prieur* : supérieur de certains couvents appelés « prieurés ».
5. *Fonts* : bassins contenant l'eau bénite pour le baptême.

Toute la compagnie seconda la maîtresse de la maison ; tous les convives criaient :

« Nous le baptiserons ! »

L'Ingénu répondit qu'en Angleterre on laissait vivre les gens à leur fantaisie. Il témoigna que la proposition ne lui plaisait point du tout, et que la loi des Hurons valait pour le moins la loi des Bas-Bretons ; enfin il dit qu'il repartait le lendemain. On acheva de vider sa bouteille d'eau des Barbades [1], et chacun s'alla coucher.

Comparez le comportement des Bas-Bretons et l'attitude de l'aumônier à propos de la religion. Qu'ont-ils en commun ?

Suite de l'entretien de l'aumônier avec l'habitant de Tahiti

Au fil du texte...

1. Comment la naissance d'un enfant est-elle accueillie à Tahiti ? Sait-on toujours qui est le père ? Que se passe-t-il lorsque deux hommes revendiquent la paternité de l'enfant ?

2. Qu'est-ce qui, outre la naissance, rend la famille heureuse ? À quoi les Tahitiens se montrent-ils particulièrement attentifs ?

3. Que symbolise le voile noir ? le voile gris ? Qu'est-ce qu'une libertine ? un libertin ?

4. L'adultère et l'inceste existent-ils à Tahiti ? Orou comprend-il ce que signifient les mots « fornication », « inceste », « adultère » ? Comment réagit-il face à l'indignation de l'aumônier ?

5. Quelle règle propose-t-il de suivre pour évaluer le bien-fondé des mœurs ? Comment parvient-il à mettre l'aumônier dans l'embarras ?

---

1. *L'eau des Barbades* : le rhum.

6. Pourquoi l'aumônier éprouve-t-il, à l'évocation des différentes formes d'inceste, des difficultés à comprendre qu'à Tahiti ces pratiques sont innocentes ?

7. Qu'advient-il aux vieilles dissolues qui sortent la nuit sans leur voile ? aux filles précoces qui relèvent leur voile blanc ? Pourquoi les Tahitiens n'accordent-ils pas une grande importance à ces fautes ?

8. Qu'est-ce que les Tahitiens privilégient par-dessus tout ? Comment Orou montre-t-il à l'aumônier que l'attitude de son peuple ne diffère pas de celle des Européens ?

9. Pourquoi les Tahitiens ont-ils de bonne grâce laissé leurs femmes et leurs filles dans les bras des Européens ? Quelle est l'imposition à laquelle fait allusion Orou ?

10. Comment les enfants nés des unions entre Tahitiens et Européens vont-ils être employés ?

11. En quoi les sauvages sont-ils aussi « fins » que les civilisés ? En quoi les Européens sont-ils plus barbares que les Tahitiens ?

12. L'aumônier parvient-il à résister aux invites des filles et à celle de l'épouse de son hôte ?

À vos plumes !

En vous appuyant sur les crimes énumérés par l'aumônier, montrez, dans un texte d'une quarantaine de lignes, l'inconvénient qu'il y a « à attacher des idées morales à certaines actions physiques qui n'en comportent pas ».

Pistes de recherches

Effectuez des recherches sur le mythe du bon sauvage. Quand apparaît-il ? Comment évolue-t-il ? Quelles sont ses caractéristiques ? Comment s'exerce la critique du civilisé ? Sous quelle forme se présente l'apologie du sauvage ? Comparez les différentes positions des philosophes des Lumières.

Texte d'accompagnement

Les sauvages peuvent-ils être heureux ? C'est à cette question que Diderot s'applique à répondre dans le chapitre IV du livre XVII de l'*Histoire des deux Indes* de l'abbé Raynal, intitulé « Comparaison des peuples policés et des peuples sauvages ». Toujours décidé à dénoncer les crimes commis par les nations civilisées chez les peuples sauvages, il s'ingénie à montrer dans cet extrait que, à l'inverse des civilisés, les sauvages ont su trouver dans la nature de quoi satisfaire leurs besoins et combler leur bonheur. La clausule de cet extrait n'est pas sans rappeler les réflexions de l'aumônier, résumées par B à A au tout début de la « Suite du dialogue entre A et B ».

C'est dans la nature de l'homme qu'il faut chercher ses moyens de bonheur. Que lui faut-il pour être aussi heureux qu'il peut l'être ? La subsistance pour le présent, et, s'il pense à l'avenir, l'espoir et la certitude de ce premier bien. Or l'homme sauvage, que les sociétés policées n'ont pas repoussé ou contenu dans les zones glaciales, manque-t-il de ce nécessaire absolu ? S'il ne fait pas des provisions, c'est que la terre et la mer sont des magasins et des réservoirs toujours ouverts à ses besoins. La pêche ou la chasse sont de toute l'année, ou suppléent à la stérilité des saisons mortes. Le sauvage n'a pas des maisons bien fermées ni des foyers commodes, mais ses fourrures lui servent de toit, de vêtement et de poêle. Il ne travaille que pour sa propre utilité, dort quand il est fatigué, ne connaît ni les veilles ni les insomnies. La guerre est pour lui volontaire. Le péril, comme le travail, est une condition de sa nature et non une profession de sa naissance, un devoir de la nation, non une servitude de famille. Le sauvage est sérieux, et point triste : on voit rarement sur son front l'empreinte des passions et des maladies qui laissent des traces si hideuses ou si funestes. Il ne peut manquer de ce qu'il ne désire point, ni désirer ce qu'il ignore. Les commodités de la vie sont la plupart des remèdes à des maux qu'il ne sent pas. Les plaisirs sont un soulagement des appétits que rien n'excite dans ses sens. L'ennui n'entre guère dans son âme, qui n'éprouve ni privations, ni besoin de sentir ou d'agir, ni ce vide créé par les préjugés de la vanité. En un mot, le sauvage ne souffre que des maux de la nature.

Rapprochez ce texte du discours d'Orou. Expliquez, en une trentaine de lignes, pourquoi le sauvage n'a nul besoin du bonheur que lui offre le civilisé.

Suite du dialogue entre A et B

Au fil du texte...

1. Quel souvenir l'aumônier va-t-il garder de Tahiti ? Qu'a-t-il failli faire ? Que révèlent ses regrets ?

2. Qu'est-ce que A et B déduisent des usages tahitiens ? Quelle loi B énonce-t-il concernant les mœurs ? Pour quelle raison estime-t-il que les lois « dans les nations tant anciennes que modernes » ne peuvent plus être observées ?

3. Selon A, quelle loi devient superflue ? Que doit être la loi civile ? Dans quel cas la loi de la nature, la loi civile et la loi religieuse peuvent-elles fonctionner ensemble ?

4. En quoi le mariage, la galanterie, la coquetterie, la constance, la fidélité... sont ou ne sont pas, selon B, dans la nature ?

5. Dans notre société européenne, qu'a-t-on célébré chez la femme ? et chez l'homme ?

6. Comment B démontre-t-il que l'origine de la « dépravation » occidentale a à voir avec « le plus innocent des plaisirs » ?

7. Selon B, faut-il revenir à l'état de nature ? se soumettre aux lois ? Que propose-t-il ?

8. Quelle formule a valeur de morale ? Pourquoi ?

À vos plumes !

« B. – Toujours les femmes ! » (p. 103)

Imaginez un dialogue d'une soixantaine de lignes dans lequel deux lectrices confronteraient leurs points de vue sur le *Supplément au Voyage de Bougainville*. Appuyez-vous sur les arguments échangés d'une part par l'aumônier et Orou, d'autre part par A et B, ainsi que sur les histoires de Jeanne Barré et de Polly Baker.

Pistes de recherches

Effectuez des recherches sur l'*Encyclopédie*, sur *De l'esprit des lois* (1748) de Montesquieu et sur le *Discours sur l'origine et les fondements de l'inégalité parmi les hommes* (1755) de Rousseau. Comparez les positions adoptées par Diderot, Montesquieu et Rousseau à l'égard des lois. Quel but poursuivent-ils ?

Texte d'accompagnement

Quatre ans après avoir été couronné par l'Académie des sciences, arts et belles-lettres de Dijon pour son *Discours sur les sciences et les arts*, Rousseau décide de prendre part à une nouvelle question mise au concours par l'Académie : « Quelle est l'origine de l'inégalité parmi les hommes, et si elle est autorisée par la loi naturelle. » Son *Discours sur l'origine et les fondements de l'inégalité parmi les hommes* est pour lui l'occasion de rechercher les raisons qui ont fait d'un homme naturellement bon un être méchant.

J'ai tâché d'exposer l'origine et le progrès de l'inégalité, l'établissement et l'abus des sociétés politiques, autant que ces choses peuvent se déduire de la nature de l'homme par les seules lumières de la raison, et indépendamment des dogmes sacrés qui donnent à l'autorité souveraine la sanction du droit divin. Il suit de cet exposé que l'inégalité, étant presque nulle dans l'état de nature, tire sa force et son accroissement du développement de nos facultés et des progrès de l'esprit humain et devient enfin stable et légitime par l'établissement de la propriété et des lois. Il suit encore que l'inégalité morale, autorisée par le seul droit positif, est contraire au droit naturel, toutes les fois qu'elle ne concourt pas en même proportion avec l'inégalité physique ; distinction qui détermine suffisamment ce qu'on doit penser à cet égard de la sorte d'inégalité qui règne parmi tous les peuples policés ; puisqu'il est manifestement contre la loi de nature, de quelque manière qu'on la définisse, qu'un enfant commande à un vieillard, qu'un imbécile conduise un homme sage et qu'une poignée de gens regorge de superfluités, tandis que la multitude affamée manque du nécessaire.

Comparez la clausule du *Discours* à la leçon du *Supplément*. Diderot va-t-il plus loin que Rousseau ? Exposez votre point de vue dans un développement d'une trentaine de lignes.

Dernières parutions

Création maquette intérieure :
Sarbacane Design.

Composition : IGS-CP.
N° d'édition : L.01EHRNFG2300.C004
Dépôt légal : novembre 2006

Imprimé en Espagne par Novoprint (Barcelone)